レバレッジ時間術／目次

編集協力　島田栄昭
図版作成　TYPE FACE（堀内美保）

プロローグ　あなたがいつも忙しい理由

◇いつも「忙しい忙しい」と言っている人
◇いつも「いっぱいいっぱい」の人
◇一生懸命やっているのに成果が出ない人
◇コツコツやることができない人
◇面倒くさがり屋の人
◇怠けぐせのある人
◇物事が続かない人

……この本を読んでいただきたいのは、このような人たちです。

「忙しい」ことはカッコいい？

「もう忙しくて、毎日がいっぱいいっぱい」――仕事に追われ、そう感じている人は少なくないでしょう。連夜の残業は当たり前、休日もままならない。でもその割には、思うように成果が上がらない。もっと時間が欲しい、日常にゆとりを持ちたいと考えている人は多いと思います。

その一方で、定時にきっちり仕事を終え、週末ごとに遊びに行ったりしながら、なおかつ人並み以上の結果を残している人もいます。この差は、どこにあるのでしょうか。持って生まれた「才能」でしょうか。

後者の人には、共通する傾向があります。私の知るかぎり、それは才能や能力ではなく、時間に対する考え方です。結論から先に言えば、彼らは時間を「消費」ではなく「投資」しています。「投資」することで「時間資産」を築き、「不労所得」的に時間を得ているのです。

かくいう私も、かつては時間に追われていた一人でした。大学を出て会社員になりたてのころには、「忙しい忙しい」を連発していました。忙しいことが「できるビジネス

マン」の証明であり、カッコいいことだと思っていたのです。実際、周囲の同僚や上司を見回してみても、そう考える人がほとんどでした。

しかし、それではすまなくなったのが、入社三年後にＭＢＡ取得を目指してアメリカのビジネススクールに留学したときでした。そこでは、わずか二年という短期間のうちに、さまざまな経営のセンスを徹底的に叩き込まれます。読むべき本、取り組むべきプロジェクトなど、膨大な課題が与えられました。忙しかったはずの会社員時代など、これに比べれば足元にも及びません。

ところが周囲の同級生は、そうした課題を難なくクリアしている。彼らも私も、与えられる時間は同じ。私は、自分がいかに「忙しい」という言葉に甘えていたかを、イヤというほど思い知らされました。

学生のころからビジネスに関心があった私は、いろいろな経営者の話を聞くのが好きでした。そのなかで、何十年も経営に携わってきた人が、何よりも一番高くつくのは時間コストだとしみじみ言っていたことが、心に強く残っていました。

なくした一〇〇〇万円はいくらでも取り返せますが、今ここでムダに過ごしてしまっ

た一時間は、二度と取り返すことができません。時間を効率的に使うこと、ゴールに最短ルートでたどりつくことこそ、すべての成功の鍵となるのです。

そこで私は、時間効率を上げるために、そのノウハウを書いた本などを手当たり次第に読んでみました。しかし、なかなか改善しない。でもあるとき、根本的な考え方を変えることによって、しだいに成果が上がってくるようになりました。それが、時間を「消費」することから、「投資」することへの転換です。

一時間かかっていたことを五分で

時間術に関する本の多くは、節約などのテクニックが中心です。でも時間に対する考え方をあらためないまま、このようなテクニックを使っても、あまり効果がありません。たとえば一時間かかっていたものを五五分や五〇分にするだけ。これも一つの成果ではありますが、時間を大きく増やすことはできません。

これに対して、時間に対する考え方を根本的に変えれば、一時間かかっていたことを五分で済ませるのも不可能ではありません。その上で節約術的なテクニックを取り入れ

れば、より効果は絶大です。

時間は、あらゆる人に平等に一日二四時間ずつ配分されています。お金とは違って、貯めることはできません。しかし、投資によって増やすことはできるのです。成果を上げると同時に、時間の余裕もつくれる。その当然の帰結として、キャリアアップや収入アップも可能になるのです。

といっても、けっして難しい話ではありません。追って詳しく説明しますが、基本的なコンセプトはシンプルな原理・原則を徹底的に追求すること。誰でも簡単に、すぐ始められることばかりです。

世の中の多くの物事は、原理・原則的なものを追求すれば、意外に簡単に解決する。むしろ難しく考えるから、時間がかかったり、成果が上がらなかったりするのです。ぜひ今日から、本書でご紹介する方法論を信じて実践してほしいと思います。

時間を「消費」する人、「投資」する人

時間をうまく使えていない人には、共通する傾向があります。一言で言えば、すぐに

リターンを求める、ということです。

たとえば「自分の時間を大切にする」とか「家族との時間が欲しい」といった理由で、九時から五時までしか働かないと決めている人がいたとします。これが時間投資によってつくりあげたスタイルならいいのですが、時間効率を上げないまま、単に労働時間をカットしているだけなら、時間資産を増やすことはできません。

すなわち、日々の仕事が中途半端になって、どんどんたまっていくだけ。成果が上がらないから、評価もされません。たしかに「自分の時間」は増えたような気がするかもしれませんが、いつか大きなツケが回ってくることになります。

これが、すぐにリターンを求める行動です。ローンを組んで高級車や高級ブランド品を買うようなもので、その瞬間は楽しいかもしれませんが、借金が増えれば金利も増えて、資産はどんどん減っていきます。言ってみれば、借金を返すためだけに労働しているような状態です。

一方、ファイナンシャル・リテラシーを身につけたお金の使い方の上手な人は、投資によって増えた分で贅沢を楽しんでいます。たとえば買った不動産からの家賃収入で高

級車やブランド品を買うといった具合で、これなら元手は減りません。自分が遊んでいる間に、お金が勝手に働いて資産を増やしてくれる。「不労所得」をうまく活用している状態です。

お金に追われる生活と、お金がお金を生んでくれる生活。どちらが理想の生活かは言うまでもありません。

同じことが、時間についても言えます。時間を浪費する人は、収入も増えないし、自分の時間も持てない。逆に時間を投資する人は、仕事で大きな成果を上げるだけでなく、そこから不労所得的に生まれた時間を使って、旅行に行ったり、家族とともに過ごしたりして余裕のある生活を送れます。

投資の世界では当たり前、常識のようなことであっても、時間についてはこのような考え方ができない人がまだ多いようです。

繰り返しますが、テクニックで時間を節約しようとするだけでは、ブレイクスルーは起こせません。まして目先の楽しさを求めて「浪費」を繰り返していれば、いずれ「破綻」してしまうのは明らかです。

労働環境をめぐる二つの変化

お金の投資と時間の使い方を同じ発想で捉えることに、違和感を覚える人もいるかもしれません。しかし、労働環境をめぐる二つの大きな変化を前提にすれば、納得できると思います。

一つは、労働の中心が肉体労働から知識労働に変わったということです。

肉体労働は、時間そのものが尺度になる場合がほとんどです。九時から五時まで働き、その間にできるかぎりのことをすればよい。もちろん締め切りやノルマはありますが、達成できない場合には、残業によって労働時間を延ばす。繁忙期には休日操業して、ラインの稼働時間を増やす工場労働も同じです。

しかし知識労働の世界は、時間で労働成果を測ることができません。どこまでやれば終わりという基準もなく、ある意味、永遠にやっても終わりません。そこで重要なのは、時間の多い少ないにかかわらず、いかに大きな成果を上げるかということ。言いかえれば、限られた時間の中での選択と効率化です。当然、時間に対する感覚自体も、相応に変えていく必要があります。

もう一つの大きな変化は、終身雇用や年功序列のような従来型の制度が消えつつあるということです。これらの制度の下では、とりあえず会社が決めた就業時間に従って働いていれば、自動的に給料も上がるし、出世も安泰と思っていられました。しかし、今は違います。就業時間はどうであれ、成果を残さなければ評価されません。単に評価されないだけならいいのですが、下手をすればリストラの対象にもなります。

最近は、いわゆる「ホワイトカラー・エグゼンプション」の導入も取り沙汰されています。「残業代ゼロ法案」などと批判されましたが、その根本にあるのは、労働時間に対して賃金を支払う仕組みから、成果に対して賃金を支払う仕組みへの転換です。

成果を残さなければ給料をもらえないという社会は、もう目の前に迫っています。時間の長さより、時間をいかに効率よく使いこなすかを、誰もが真剣に考えなければならない時代が来ているのです。

切羽詰まっている人ほど成果が上がる

お金に対する感覚は、すでにかなり変わってきたと思います。かつては定年退職金で

住宅ローンの大半を返済し、その後は年金で生活するというファイナンシャルプランが当たり前でした。だから、誰もが家を買ってローンを組み、余剰資金の大半を預貯金に入れっぱなしにしていれば、予定どおりの暮らしを満喫できたのです。

しかし、今は同じ会社に定年まで勤められる保証はないし、したがって退職金もアテにはできません。年金の減額も覚悟する必要があります。それに、いくら預貯金を積んでも、利息はごくわずかです。そこで、自分で運用して資産を増やすこと、あるいは少なくとも減らさない方策を考える必要に迫られている。この点は、多くの人が実感しているところでしょう。

時間も同じです。こうしてお金と時間の使い方について考えてみると、両者が、労働環境の変化という大きな時代の流れをめぐって、コインの裏表のような関係にあることが分かると思います。

お金の投資と時間投資は、危機感やある程度の経験が前提になければ成功しない、という点も共通しています。

資金がすでに十分あって、もうお金なんていらないという人は、わざわざ運用する必

要はありません。また、知識も経験もないまま、闇雲《やみくも》に運用すれば損失が膨らむばかりです。

同じく時間についても、特にやりたいこともなく、暇を持て余す人が効率化を図る必要はありません。また、たとえば新卒社員がいきなり効率化ばかりを追求しても、あまり成果は得られないものです。ある程度の仕事の経験を持ち、さらに切羽詰まった状況に追い込まれてこそ、効率化を図る素地ができるのです。

「忙しい」と言わない、をルールに

本論に入る前に、一人一人の新しいルールにしてほしいことがあります。それは、どんな状況に置かれても、けっして「忙しい」とか「いっぱいいっぱい」などと言わない、ということです。

冒頭にも述べましたが、日常の仕事が「もういっぱいいっぱい」と思っている人は少なからずいます。しかし、そういう人にかぎって、傍《はた》から見ると仕事量は多くないし、さして成果も残していなかったりするものです。

問題なのは、「忙しい」＝「これ以上は何もできない」と思い込んでしまうことです。

つまり、効率化する努力を放棄して、勝手に自分の限界を引き下げてしまうわけです。

これでは、時間資産はできません。

そういう人には、会社としても今まで以上のミッションを与えようとはしないでしょう。評価もそこで止まります。だとすれば、その人はもう伸びる余地がありません。努力をする必要もなくなります。そうすれば、評価はさらに下がって、「伸びないスパイラル」に陥りかねません。

そこで、もし「忙しい」と自認している人がいれば、ぜひ冷静に自問してみてください。その忙しさは、成功している企業の経営者を凌ぐほどでしょうか。あるいは一国の大統領や首相より時間に追われているでしょうか。

そう考えれば、「自分なんかまだまだ甘い」ことがよく分かります。

世の中で成功を収めている人は、限られた時間の中で、いかに成果を出すかを突き詰めて追求している。だからブレイクスルーができるのです。これこそまさに、時間に追われる「消費」ではなく、「投資」です。

私の感覚で言えば、人が「忙しい」と感じるとき、まだ一〇倍程度の仕事はこなせると思います。かつて私がアメリカのビジネススクールで経験したように、信じられないほど膨大な課題に直面しても、考え方さえ変えることができれば、誰でも相応にクリアできるようになるものなのです。

だいたい、「忙」という字は「心を亡くす」と書きます。その意味でも、いい言葉ではありません。だから私は、どんな状況に置かれても、「忙しい」とは口にしないことにしています。もちろんスケジュールが詰まっているときもありますが、その際には「詰まっている」という表現に置き換える。「仕事が詰まっている」は事実を表しただけで、気持ちの発露ではありません。小さなことではありますが、こういう心構えが時間の使い方がうまくなるための第一歩なのです。

「常に時間はたっぷりある、うまく使いさえすれば」

かの文豪ゲーテも、このように言っています。

面倒くさがり屋だから成功する

もう一つ、これまでの時間術とはちょっと発想が異なる、本書の前提になっている考え方があります。

「ナマクラ流ズボラ派家庭料理研究家」として絶大な人気を博している奥薗壽子《おくぞのとしこ》さんの原点は、時間のない中でいかに無駄な手間をかけずに美味しくヘルシーな料理をつくるか、という一点にあるそうです。

そんな奥薗さんの教えの一つに、「面倒くさいという気持ちに素直になろう」というものがあります。たとえばジャガイモの皮を剝かなければならないとき、マメな主婦なら剝いてしまいますが、面倒くさいと思う主婦は剝かないでなんとかしようとする。そこに工夫が生まれます。

私の時間に対する考え方の根本も、これとまったく同じです。私が、時間の使い方が上手で質の高い仕事をしていると思う人は、概して面倒くさがり屋です。面倒なことがイヤなので、なんとか面倒ではない方法を考えようとする。だからいいアイディアが浮かびます。

これまで日本の社会では、面倒なことも面倒がらず、根気よくコツコツと積み上げていくことが美徳とされてきました。したがってさまざまな時間術の本も、そういうことを求めるものが多くありました。もちろん今でも、そういうことのできる人が評価されるべきなのは変わりません。

しかし、昔と今とでは、人・モノ・情報が行き交うスピードがまったく違う上、仕事量も膨大になっています。「コツコツ」に時間をかけていては、あっという間に追い抜かれかねません。「コツコツ」のスピードを上げていくやり方では、限界があります。今、求められるのは、選択と効率化によってポイントを絞り込み、限られた時間で最大の成果を上げることです。

ついでに言えば、「コツコツ」が得意という人は少数派のはずです。飽きっぽいし、怠けがちだし、面倒くさいことからは逃げ出したいのがふつうです。よほどストイックな人でもないかぎり、「コツコツ」の継続は難しいでしょう。

本書で述べる考え方は、そういう人にこそ向いています。時間によって自らを律するのではなく、時間を自由に使いこなすための方法論だからです。全部をコツコツやるの

26

が面倒だという、その気持ちからブレイクスルーは始まる。誰よりも飽き性で面倒くさがり屋で怠け癖のある私が実践しているぐらいですから、間違いありません。

第一章

時間も「投資」で増やす時代

「週九〇時間労働」の何が間違いか?

冒頭でお話ししたように、会社員になりたてのころ、私も人並みに「忙しい忙しい」と繰り返していました。でも思ったほど成果が上がらず、ただ時間ばかりが過ぎていく。そんな日々だったと記憶しています。

ところが世の中には、どう見ても自分よりはるかに多くの仕事で成果を残しながら、なおかつ時間に余裕のありそうな人もいます。たとえば、かのGE（ゼネラル・エレクトリック社）のジャック・ウェルチは以下のように述べています。

週に九〇時間働いている、という管理職がいたら、わたしはこう言う。「とんでもない。わたしは週末にはスキーに行くし、金曜日には仲間と連れ立ってパーティにも出かける。君がおなじようにできないのなら、仕事のやり方が間違っているのだ。何に九〇時間かかっているのか、二〇個書き出してみるといい。そのうちの一〇個は意味がないはずだ」

（『勝ち馬に乗る！』アル・ライズ、ジャック・トラウト著／阪急コミュニケーションズ）

一日二四時間という時間は、生まれたときから、誰に対しても平等に与えられています。それなのに、生活レベルが不平等になってしまうのには、何か理由があるのです。それに気づかなければ、毎日いたずらに忙しいだけで、自分のための時間も気力も体力もお金も、何も残らないまま人生が終わってしまいます。

GEという世界最強の企業を率いながら週末のスキーを楽しむウェルチと自分とは、いったい何が違うのだろう。その疑問は、アメリカに留学してから一層強くなりました。私は何を「間違っている」のか。私はそれが知りたくて、まず自分の時間の使い方を徹底的に分析してみることにしました。

「時間度外視」の仕事はありえない

その結果として分かったのは、自分が充実した時間だと思っていた部分に、かなりのムダがあったということ。結局何をしていたのか分からない時間があったり、余計なと

ころに労力を使っていたりしたのです。

たとえばプレゼンテーションの仕事があったとします。このときの目的は、言うまでもなく仕事を取ってくることです。そのためには、相手を信頼させたり、納得させたりする資料をつくる必要があります。

ところが、それに熱中するあまり、資料のデザインやレイアウトに凝りすぎてしまう。こういうものは、やりはじめるとキリがありません。結局、夜遅くまで残業することになりがちです。

もちろん、デザインも大事です。その部分に凝ることを否定するつもりはありません。しかし、そこに没頭しすぎてしまうと、貴重な時間を奪われることになる。冷静に考えてみれば、本来の目的とは関係のないところまで手を出していることが、ありがちです。

あるいは何かを調べるとき、今はインターネットを使えばいくらでも情報を得ることができます。つい興味のおもむくままに、派生的な情報を調べてしまうこともあるでしょう。そういうことも知識の幅を広げるという意味では大事ですが、調べること自体が楽しくなって、本来の目的を見失うことがよくあります。

時間を操る経営者がカネを稼ぐ!

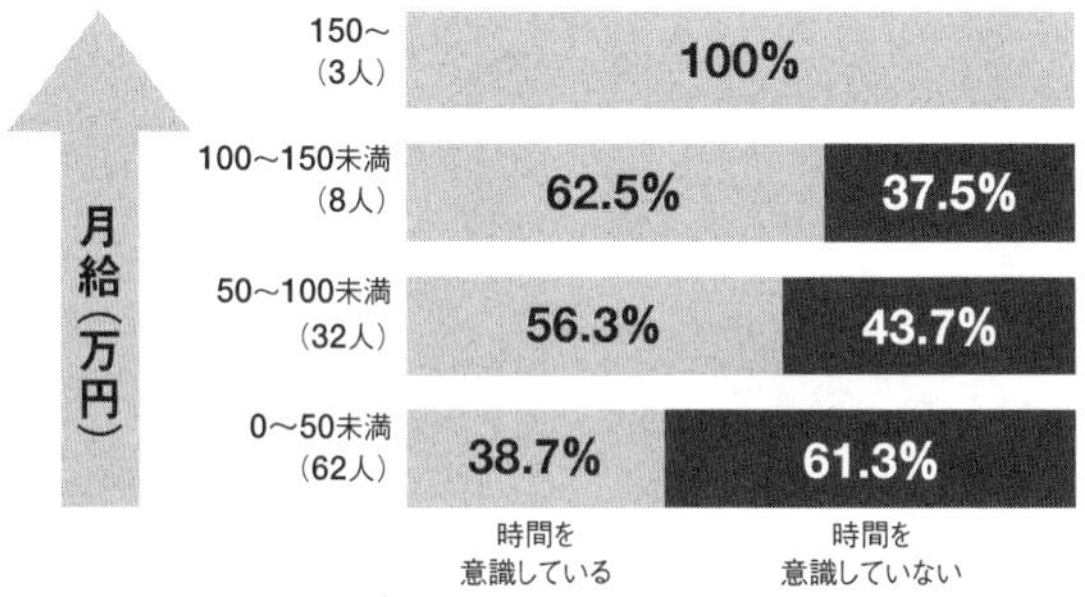

※インターネット調査サービス「Yahoo!リサーチ」を利用して2005年5月上旬に実施。回答者は、同サービスに登録するモニター（全国37万人）の法人モニターで、2〜299人の従業員を抱える会社の経営者112人

日経ベンチャー（2005年6月号）

さらにやっかいなのは、仕事の中身とは関係なく、こうして長時間労働することで「よく働いた」とカン違いしてしまいがちなことです。繰り返しになりますが、知識労働に際限はありません。問われるのは時間ではなく成果。重要なのは、時間の長さではなく、その密度です。

実際、「日経ベンチャー」二〇〇五年六月号によれば、「時間を意識している」経営者ほど、より多くの収入を得ていることが分かります。「採算度外視」の経営がありえないのと同様、「時間度外視」の仕事もありえないのです。

では、いかにして時間の効率を上げてい

くか。密度を濃くするか。その答えが、「時間投資によって時間資産をつくる」ということなのです。

時間資産は雪だるま式に増える

たとえば、毎週五時間ずつかかるルーチンワークがあるとします。これが永続的な仕事だとすると、年間五〇週として計二五〇時間を費やすことになります。しかし、仮にこれを週一時間でこなせば、年間五〇時間で済む。つまり二〇〇時間が新たに生まれます。

そんなにうまくいくはずがない、と思うかもしれません。しかし、これを可能にする方法があるのです。私はこれを「時間にレバレッジをかける」と呼んでいます。「レバレッジ」という言葉は、本来は「てこの原理」を意味しています。「てこ」を使えば少ない力で大きなモノを動かすことができます。これを時間に当てはめれば、少ない時間で大きな効果を上げることが「時間にレバレッジをかける」ということになります。

時間は貯めることはできませんが、増やすことは可能です。時間を使って時間を増やす。「時間を投資する」ことによって、「時間資産」をつくることができるのです。

しかも、時間資産はきわめて大きな「複利」で雪だるま式に増えていきます。どんどん時間投資することによって不労所得的に時間資産が生まれ、その時間を再投資することによってさらに時間資産が大きくなっていく。時間に余裕が生まれれば、自分のために使える時間が増え、将来的には収入アップにもつながります。

もちろん、最初から大きなリターンが期待できるわけではありません。しかし、時間投資は「元本保証」です。二四時間がマイナスになることはありません。誰でも平等に持っています。その意味ではリスクもないわけで、これほど効率のいい投資はないと言えます。

何もしないでいるほうがリスク

では具体的に、「時間を投資する」とはどういうことか。

その核は、「仕組み」をつくるために時間を使うということです。短時間で効率的に

同じだけの成果を上げるための仕組みをつくるために、一〇時間なり一五時間なり考えたり、方策を練ったりするわけです。

一〇〜一五時間というと、驚く人もいるかもしれません。「そんな時間は取れない」「ただでさえ忙しいから無理」という人もいるでしょう。しかし、たしかに最初に時間はかかりますが、その後はできあがった仕組みを利用すればいいだけ。新たな労働時間は発生しません。しかも「複利」で「元本保証」ですから、時間投資は、早くに着手すればするほど、得をする度合いが大きくなります。

むしろ、何もしないでいることのほうが、大きなリスクを抱えるとも言えます。ルーチンワークというものは、ほうっておけばどんどん増えていきます。ただ漫然と、それまでと同じ時間をかけていたら、重要な仕事や自分の楽しみのために使える時間は削られていきます。一日二四時間の枠は変わらないので、当然、仕事の成果は減っていきます。いわば資産がマイナスになって、負債が雪だるま式に増えていくようなものです。

時間投資の基本は「仕組み」づくり

私がアメリカへ留学したときのことです。アメリカの学生は当時からすでにパソコンを使いこなしていましたが、私はそれまで触ったことすらありませんでした。おかげで、当初はちょっとしたキーボード入力にも非常に時間がかかりました。

そこで私は一念発起して、五日間の集中トレーニングを受けることに時間を投資し、ブラインドタッチを完全にマスターしたのです。もしこの五日間がなければ、私は未だにブラインドタッチができなかったかもしれません。パソコンがこれほど身近になった今、それは生涯にわたる致命的な時間のロスです。

たとえば毎日三時間、キーボード入力をする仕事があったとします。これがブラインドタッチによって二〇分短縮できたとすれば、三日で一時間という時間資産を生み出すことができます。一生涯で考えれば、この時間資産はさらに膨大な量にのぼります。

プロローグでも述べたように、会社で働くビジネスパーソンも、昔と違い、労働時間の長さではなく、成果が問われるようになりました。遅くまで残業すれば自動的に給料が増えるという時代ではありません。いかに時間効率を上げるかは、すべての職種に共

通する至上命題だと言えます。

冒頭の例で言えば、一〇～一五時間の投資によって週五時間のルーチンワークが一時間になれば、年間二〇〇時間を生み出すことができるということです。仕組みづくりのための一〇時間を差し引いても、残りは一九〇時間。しかも翌年以降は、まさに「不労所得」のように、毎年二〇〇時間が丸々生まれることになります。

このようにして「仕組み」をつくったり、仕事の段取りを考えたり、スケジュールのつくり方を工夫したりすることで、時間資産を増やす。これが「時間投資」の基本なのです。

やりたいことの時間を「天引き」する

時間資産を増やすうえで、もう一つ重要なのは、「天引き貯金」の発想です。

お金を貯めるための、最も確実な方法は、収入のうちの一定額をあらかじめ貯蓄に回し、残ったお金で生活をするという方法です。無計画に使うだけ使ってしまって、残ったお金を貯蓄に回そうという考え方では、まずお金は貯まりません。

また、月収五〇万円の人が、そのうち一〇万円を貯蓄に回すと最初から決めれば、月々四〇万円で生活することになりますが、その生活スタイルが確立すれば、月収が六〇万円に増えたとき、毎月二〇万円の貯蓄ができることになります。

しかし、余ったら貯蓄に回すという方法では、月収が六〇万円に増えたら、六〇万円の生活をしてしまうでしょうから、収入が増えてもお金は一向に貯まらないという事態になります。時間の使い方も、これとまったく同じなのです。

暇ができたら本を読もう、時間が余ったら新しい事業について勉強しようと思っていても、「いつか」「そのうち」というときはやってきません。

重要なのは、やりたいこと・やるべきことのための時間を、あらかじめスケジュールから「天引き」してしまうことです。

時間の「天引き」には、時間資産を増やすということのほかに、もう一つ意味があります。「天引き」をするためには、そのことにどれだけの時間をかけるかを決めなくてはなりません。そうすると、いわゆる「締切効果」が生まれて、その時間内で成果を出すことを考えるようになります。つまり、時間の使い方が効率的になって、時間密度が

高まるのです。

このような発想に基づいたスケジュールのつくり方については、次章以降であらためて解説します。

増やした時間は「再投資」に回す

投資によって生まれた時間をどう使うかは、もちろん本人しだいです。ただ、単に休んだり遊んだりなどに使ってしまうと、すぐに底を突きます。これでは「資産」とは呼べません。

現状維持で、そのときそのときを、楽しく過ごせればいいという選択もあり得るし、そういう人を否定するつもりはありません。しかし、もっと上を目指したいと思っているなら、自分の力をつけるために有効活用すべきでしょう。

また、現代はさまざまなことがものすごいスピードで変化しており、いったん身につけた知識やスキルであっても、絶えずブラッシュアップしていかなければ、すぐ古くなってしまいます。そうして成果が上げられなくなれば、終身雇用や年功序列といった慣

行が崩れつつある今、アメリカと同様、即リストラされかねません。

空いた時間は遊んで過ごしたい、現状維持でいいと思っていても、成果も収入もダウンしてしまうリスクはとても大きいのです。

お金の投資の場合も、たとえば株の売買で上げた利益を、旅行や趣味、飲み代に使ってしまえば、それきりです。継続的に資産を増やしていくには、上げた利益を元手にして、さらに買い増したり、新しい銘柄に投資したりして運用していくことが必要です。

時間投資も同じこと。増えた時間は原則として、新たな仕組みづくりや新しい事業、さらには自分の能力を高める自己投資など、再投資に回すべきだと思います。これを繰り返していけば、年間で何百時間も時間資産を生み出せることになり、しかもそれは複利で雪だるま式に増えていくので、投資効果がどんどん大きくなります。効率的に労働時間を減らせば減らすほど、大きな成果が上がり、最終的には収入のアップにつながります。

「再現性」を持たせなければ意味がない

仕組みをつくることについて、もう少し説明しましょう。

「仕組み化」とは、別の言葉で言えば、再現性を持たせることです。

たとえば、いつもは五時間かかっていた仕事が、たまたまその日だけ、ラッキーなことが重なって一時間で終わってしまうこともあるでしょう。

しかし、その日だけで終わってしまい、後に続かなければ、浮いた四時間は時間資産とは言えません。体系立ったやり方を考え、その後もずっと一時間で終わらせられるようにすることが、再現性を持たせるということなのです。

アメリカに留学して分かったのですが、アメリカ人はこういうことが非常に得意です。彼らは常に物事を体系立てて考え、再現性を持たせようとしている。再現性を持たせられれば、人に教えることも可能になるので、単に個人レベルでなく、チームのメンバーの時間資産を増やすことにつながります。だから、アメリカ企業の組織の効率性はきわめて高いのです。

一方日本人は、再現性のあるやり方を体系立てて考える習慣があまりなく、仕事がで

きる・できないといったことも、個人の資質のみに負っている部分が多く見受けられます。日本の組織がよく非効率的と言われるのも、このあたりに原因があるのかもしれません。

「節約」でブレイクスルーは起きない

また、やり方を知っているだけでは、「仕組み化」したことになりません。ビジネス書などを読んで、「こんなやり方、自分だって知っているよ」と思ってそのままにしていたり、気まぐれにちょっとやってみたりする人がいますが、それでは当然のことながら成果につながりません。新しい方法を、自分の仕事や生活のサイクルの中に組み込み、ずっと実行しつづけられる再現性を持たせることが、「仕組み化」なのです。

それとの関連で言えば、いわゆる「節約」も、再現性があるとは言えません。スーパーの安売り日にモノを安く買ったとしても、それは一時的なものです。いつも安売りしている店を見つけるとか、定期的に購入することで安くしてもらえるように交渉するとか、そういう自分なりの工夫によって、常に安く買えるようにすることが、再現性を持

たせるということです。

会社での経費節減も同様です。使用済みのコピー用紙のウラを使うとか、使っていない部屋の電気を消すといったことももちろん大事ではありますが、抜本的なコスト改善はできません。仕事のマニュアル全体を見直すとか、さらに言えば、収益の上がっていない事業を見直すなど、根本的な仕組みから考えないと、ブレイクスルーは起こりません。

時間に対する考え方も同じです。節約的なテクニックばかりに目を向けるのではなく、常に、今やっている仕事を半分の時間で済ませる方法はないかと考えることで、さまざまなブレイクスルーの可能性が開けてくるはずです。

リサーチ→スクリーニング→利益確定

時間投資には、いくつかの基本的な手順があります。

まず重要なのは、事前リサーチ。自分の仕事全体を見渡して、何が面倒なのか、何に時間がかかっているのかを、自分で把握するということです。

次が、その中でどれについて効率化を図るかを検討するスクリーニングです。成果につながること、成果につながらなくても、どうしてもやらなければいけないこと、人に頼めないことなど、ウェイトの大きいものから順位付けをしていきます。

その上で、仕組みづくりのために実際に時間を投資して、効率化を図っていきます。このとき、思うように効果が上がらなければ無理に続ける必要はありません。成果の上がることだけを続けることで、時間資産がストックされていくのです。

もうお気づきだと思いますが、これらは株式などの投資のノウハウと同じです。リサーチをし、スクリーニングをかけ、実際に投資して利益が出ないようなら早々に損切りし、目標どおりの利益が出れば確定する。投資で一般的に行われている方法を、時間に当てはめればいいのです。

言い方を変えれば、投資には明確なルールや、うまくいくための鉄則があります。この世界では、多くの企業や機関投資家が、昔からさまざまな投資手法を試してきました。その中から検証にたえ、確実に成果を上げられる優れた方法だけが今日まで残っているのです。

一方、時間はお金に比べればずっと曖昧なので、効率的な使い方についての、普遍的で体系立った方法を考えるのはとても困難です。複雑に考えても、結局労多くして功少なし、ということになりがちです。

そこで、投資のいい方法を時間に応用してみれば、意外とシンプルに考えることができるのではないかというのが、私の基本的な考え方なのです。

新人の時間投資、経営者の時間投資

投資の世界では、投資額によって方法を変えていくのが常識です。投資額が一〇〇万円の場合と一〇〇億円の場合とでは、投資スタイルも方針も変わってくるものです。同様に、時間投資も自分のポジションやステージによって方法を変えていく必要があります。

新人のころは、自分で仕事の時間をコントロールしにくく、仕事の内容も、どうしても自分の手でやらざるを得ないルーチンワークが中心でしょう。しかもそれらは、直接には成果につながりにくいものがほとんどです。

そのような場合は、まずルーチンの部分を仕組み化し、かかる時間を極力カットすることが、時間投資の第一歩になります。その上で、得られた時間を、わずかでも成果が上がりそうなところに再投資していけばいいのです。たとえ思ったほど成果が上がらないとしても、どうすれば仕事を効率的に進められるかを徹底的に考えるということは、ぜひ若いうちに体験しておくべきです。

一方、経営者になると、自分の手でやらなければならない事務的な仕事は、まずなくなります。仕事のプロセスなどはどうでもいい。極端なことを言えば、会社に来なくても、きちんと成果さえ上げていれば、経営者としての責任は果たしたことになります。

そのような場合、どこに時間投資をするのか。

たとえば、経営者は会社の数字を定期的に見て、状況の善し悪しを即座に判断する必要があります。このとき、多くの数字をいちいちチェックしなければならなかったり、その数字を分析するのに時間がかかったりしていては、それ自体が大きなロスになります。そこで、一目見て状況がつかめるようなデータ整理の仕方を考えるとか、すばやく分析するためのマニュアルをつくるために、時間投資をする必要があります。

企業勤めか自営業者か、営業職か事務職か、平社員か中間管理職かといった違いによっても、時間投資の方法は違います。重要なのは、どこを効率化して時間資産をつくり、それをどこに再投資するかについて、それぞれ自分の状況に合わせて判断するということです。

スピードだけ上げてもムダになる

以前、ある人に仕事を頼んだら、ものすごいスピードで仕上げてきたことがありました。ところが確認してみると、中身はボロボロ。乱雑だし、ポイントもズレまくっている。仕方なくやり直しを命じると、彼はこう反論してきました。

「でも、効率的にやれって言ってましたよね」

こういうカン違いをする人は、少なくありません。私が述べる「時間効率を上げる」ことと、単にスピードを上げることとは違います。重要なのは時間密度を濃くすることによって時間を短縮することであり、時間密度が薄いまま速く仕上げることとはまったく別のことです。

読書法を例にとって考えてみましょう。世の中には、いわゆる「速読」という方法があります。しかし私には、少なくともビジネスにおいては、あまりリターンが多くない方法に思えます。

たしかに、トレーニングをすれば、一冊の本を速く読めるようになるかもしれません。しかし、同時にそれは、必要のない部分まで読んでしまうことを意味します。また、重要なポイントで立ち止まって読むこともないでしょう。

それでは、全体の内容がある程度は記憶に残ったとしても、実際のビジネスにすぐ応用できるほど詳しくは理解できていないことがほとんどでしょう。それをちゃんと理解するには、もう一度読む必要が生じます。つまり、どれほど速く一冊を読み通しても、その時間がムダになる可能性があるわけです。

私が前著『レバレッジ・リーディング』（東洋経済新報社）で紹介したのは、最初に決めた目的のために、役立つ部分だけを引っ張ってくるという、ビジネス書の多読法です。一冊丸ごとを速く読むのではなく、重要なポイントはローギアでじっくり読み、飛ばせるところはトップギアで読み飛ばす。こうして緩急をつけて読む方法です。

仕事も同じです。スピードを上げても中身が伴わなければ、むしろムダが大きくなります。あるいは意味のないところでスピードを上げても、労力のムダです。

かのP・F・ドラッカーも

「まったくするべきではないことを能率的にする。これほどむだなことはない」

と述べています（『3週間続ければ一生が変わる』ロビン・シャーマ著／海竜社）。

必要な同じ成果をより短い時間で上げること、そのために最短ルートはどこかを考えて行動することが重要なのです。

そして、単に最短ルートを見つけて終わりではありません。次からも常に同じルートを通れるようにすること、すなわち再現性を持たせることができて初めて、「仕事を効率化できた」と言えるのです。

「ワークライフバランス」をめぐるカン違い

最近、「ワークライフバランス」という言葉をよく耳にします。生活（ライフ）と仕事（ワーク）のバランスを取り、仕事一辺倒ではない、豊かな人生を送ろうという意味

のようです。

しかし、これを「働く時間を減らして、プライベートの時間を増やせ」というメッセージとして受け止めるのは、大きなカン違いだと思います。

本書で目指す「労働時間の短縮」は、単に働く時間を減らすということではありません。時間投資によって、短時間で同じだけ、さらにはそれ以上の成果を上げることが大前提で、そこから生まれた時間資産を、プライベートの時間にあてたり、再投資にあてようというものです。

知識労働社会で求められるのは成果です。その積み重ねが評価の対象になるわけで、労働時間の短縮に比例してアウトプットも減ってしまうのであれば、仕事を失って、プライベートな生活までが脅かされる恐れがあります。それでは「ワークライフバランス」どころではありません。

豊かな生活に必要な時間的余裕は、十分な収入が得られる仕事のベースの上に成り立つものです。仕事のベースもないのに、プライベートの時間を増やすことを優先していたら、莫大な時間負債を背負うことになって、その返済のための労働に追われる人生に

なるのは必至です。

私は、本来の「ワークライフバランス」とは、まず遊びや休養などプライベートの時間を確保して残りの時間で働く、ということではないと思います。効率的な仕事をして成果を上げつつ、自動的に時間資産が増えるシステムをつくり、その不労所得的な時間資産によって、仕事と生活とのバランスを取っていくのが、あるべき「ワークライフバランス」だと考えています。

モチベーションの低さこそ問題

現にアメリカでは、「ワークライフバランス」はあくまでキャリアサポートの一環として位置づけられているようです。有志によって立ち上げられた日本ワーク/ライフ・バランス研究会の第一回講演会（二〇〇四年四月）では、日米を比較しつつ、以下のように警告を発しています。

米国は文系の修士取得者は日本が一・三万人に対して二〇万人と、約一五倍強の

社会人がエンプロイアビリティを高める努力をしている。九〇年代の大量リストラで終身雇用が崩壊した米国では、「不確実性の時代」へのキャリアデザインのサポートの為の「ワーク・ライフ・バランス」施策が不可欠となっている。しかし日本の現状は未だ長時間労働から抜け出せなく、周囲の目（上司・同僚）に拘束され、早く仕事を片付けてもやる事を見つけられないというモチベーションの低さが、九〇年代からの長期不況（一三年）から好転できない遠因となっていると考えられる。

（日本ワーク／ライフ・バランス研究会HPより）

「周囲の目」も変わる必要がありますが、ここで一番問題なのは、「早く仕事を片付けてもやる事を見つけられないというモチベーションの低さ」ではないでしょうか。

たとえば、アメリカのビジネススクールは全部で約八〇〇校、年間MBA取得者数は約七万人であるのに対し、日本のそれは約三〇校、一五〇〇人にすぎないというデータがあります（朝日新聞「ｂｅ　Ｒｅｐｏｒｔ」二〇〇三年六月二八日付）。

少し前のデータなので、現在はもっと増えているかもしれないし、MBAさえ取れば

いいというものでもありません。しかし、この文字どおりケタ違いの差は、そのまま時間投資に対する意識の差であるとも考えられます。

あまりに短い、日本人の「自己投資」時間

実際、三〇～五〇代の平日の自由時間の使い方は、「趣味・娯楽」が二〇～三〇分程度、「テレビ・ラジオ・新聞・雑誌」が一時間三〇分～二時間三〇分程度、「休養・くつろぎ」が一時間程度で、「学習・研究」は一〇分未満だそうです（総務省統計局「社会生活基本調査」二〇〇一年）。

このうち、明らかに投資的な使い方と言えるのは「学習・研究」くらいでしょう。「テレビ・ラジオ～」は投資と考えられなくもありませんが、あとでお話しするように、テレビの見方にも「投資」としてのアクティブな見方と、「消費」としてのパッシブな見方があります。大半の場合はパッシブな見方だと思いますので、投資と呼べるのは、そのうちせいぜい一時間弱ぐらいでしょう。

自由な時間ができたら、もちろん娯楽や休養にあててよいのですが、一部は必ず再投

資に回すことを忘れてはいけません。たとえば四分の一の時間で仕事ができるようになったとしたら、残り四分の三も仕事にあてれば、四倍の成果が上げられます。さらに効率化を図れば、八倍の成果を得ることも不可能ではありません。

そうやって、誰にでも平等に与えられた時間を使って、より大きな成果を上げることを目指すのが、「時間にレバレッジをかける」という発想なのです。

日本人はもはや「働きすぎ」ではない

高度経済成長の時代から、「日本人は外国人と比べて働きすぎ」と言われてきました。だからもっと仕事の時間を減らし、家族サービスをしたり、長期休暇を取ったりしましょうとも言われてきました。「ワークライフバランス」もこの延長にあります。

しかし、少なくとも最近について言えば、これは大きな誤解のようです。

「世界競争力ランキング」の二〇〇六年版（スイスのビジネススクールＩＭＤ〈国際経営開発研究所〉発表）によると、日本の年間労働時間は一八六四時間。中国やアメリカよりも少なく、なんと世界第三四位。トップは香港の約二四〇〇時間で、日本の約一・

三倍です。

サービス残業など、統計に反映されない労働時間もあるので、一つのデータだけで判断するのは適当ではありませんが、海外のビジネスパーソンに接する機会の多い私の印象から言っても、日本人はけっして働きすぎではないように思います。

低い労働生産性、その果てに……

もちろん、会社に長くいればいいというものではありません。日本マクドナルドを創業された故・藤田田《でん》さんは、かつてこんな話をされていました。

アメリカ人のホワイトカラーは、一二月になると長期のクリスマス休暇を取ることが少なくありません。あるいは「バケーション」と称して、いきなり一カ月も休んだりする。そのため、日本から連絡しようと思っても、つかまらないことがよくあります。

そんなアメリカ人の一人が、藤田さんに向かってこんなことを言ったそうです。

「アメリカ人は会社にいなくても高い成果を上げている。日本人はいつ連絡しても常に会社にいるが、大した成果は上げていない」

日本人の労働生産性についても、興味深いデータがあります。「労働生産性の国際比較」の二〇〇六年版（社会経済生産性本部発表）によると、日本の労働生産性は先進主要七カ国中最下位。ＯＥＣＤ三〇カ国中でも一九位と低迷しています。

ただし、製造業だけで見れば、先進七カ国中アメリカに次いで二位です。裏返せば、日本の場合、知識労働が中心となるサービス業などの労働生産性がきわめて低いということです。

労働時間が減って、生産性も上がっていない。これは時間投資的に見れば、日本社会全体が、時間資産を食い潰し、借金を返すために働く状態に陥りかけていることを意味しています。経済のグローバル化が進み、どんな産業も、世界市場での競争に勝たなければ生き残れない中で、これはとても深刻な事態です。

私はよく、社員に対して「ゆでガエル」の話をします。ぬるま湯にカエルを入れ、少しずつ温度を上げていくと、カエルはその変化に気づかず、ついにはゆで上がって死んでしまうという話です。

今、日本の企業の中で優秀だと評価されている人、また、自分は高い成果を上げてい

ると思っている人も、実はこの「ゆでガエル」になっている可能性があります。

そうならないためにも、自分の仕事の進め方やライフスタイルを、常に時間投資の観点から見直すことが重要なのです。

第二章 成果はスケジューリングで決まる

レバレッジ・スケジューリングの三本柱

この章からは、時間投資の考え方に基づいた時間の使い方、すなわち「レバレッジ・スケジューリング」についてお話しします。

「レバレッジ・スケジューリング」の柱になるのは、「俯《ふ》瞰《かん》逆算スケジュール」と「時間割」、そして「タスクリスト」の三つです。

まず「俯瞰逆算スケジュール」です。

スケジューリングに欠かせないものと言えば、真っ先に思い浮かぶのが「手帳」。しかし私は、ふつうの紙の手帳は使っていません。代わりに愛用しているのがPDA（携帯情報端末、いわゆる電子手帳）と、一般的には壁にかけて使うA4サイズのカレンダー。カレンダーは、絵や写真のついていない、一カ月ごとにめくるスタイルで、一日ごとに書き込めるスペースがあるものを使います。

「俯瞰逆算スケジュール」のポイントは、予定全体を俯瞰すること（「俯瞰」とは高いところから全体を見下ろすという意味です）。そして、成果を上げるためのタスクを逆

算して考えることです。

ではこのカレンダーを使ってどのようにスケジュールを立てているのか、順番に説明していきます。

俯瞰し、ゴールから逆算する

私は、スケジュールは、俯瞰逆算スケジュールのような能動的な「アクティブ・スケジュール」と、受動的な「パッシブ・スケジュール」の二つに分けられると考えています。

「パッシブ・スケジュール」は順行型で、常に時間に追われている人のスケジューリングです。

見開き一週間、もしくは二週間の手帳に書いてあるのは、アポイントメントやミーティング、仕事の締め切りなど。予定が生じたら、それを手帳に書き込むというスタイルです。

そして出勤すると、とりあえずその日の予定だけ確認し、特に段取りを考えることも

なく、目の前の仕事に手をつけていきます。時間が余ったら、人に会ったり読書にあてたりしたいと思っているのですが、日々の予定に追われて、なかなかその時間ができません。

たまにアポイントメントやミーティングの予定が入っていないときがあっても、何をしたらいいか分からず、ただダラダラ過ごしてしまったり、同僚に誘われるまま飲みに行ったりしてしまいます。

では、「アクティブ・スケジュール」とはどういうものか。「アクティブ・スケジュール」とは逆算型、多くの仕事量をこなして成果を上げつつ、プライベートを楽しみ余裕もある人たちのスケジューリングです。

アクティブ・スケジュールに必要なのは、まず明確なゴール設定です。○月○日に新規事業を立ち上げる、売上を二○%アップする、新規顧客を獲得する、本を出版する、といった成果につながる重要な課題をだいたい三カ月先まで見通します。そして、私の場合は、これをカレンダーに書き込みます。

その上で目標達成のためにやらなければいけないことを、何段階かのステップに割り

振り、ほかの予定とのバランスをとりながらスケジュールに落とし込んでいきます。具体的には、目標が売り上げアップであれば、目標の数字をクリアするには何社から注文をとる必要があるか、そのためには〇日までに何社にアプローチする必要があるのか、そのためにはどんなリストや資料が必要か、リストや資料はいつまでにそろえる必要があるのか、と考えていくわけです。

このような作業は、三カ月先、ないし半年先まで見通して俯瞰逆算するから可能であり、明日のことは今日の仕事が終わったら、来週のことは今週の仕事が終わったら考えるという順行型では難しいでしょう。

今日何をすべきか、明日何をすべきかは、すべてゴールから逆算することで決まります。もちろん周囲の人とのからみで、自分ではコントロールできないアポイントメントやミーティングも生じますが、成果を上げるために何を優先すべきなのかがはっきり分かっているため、不必要に振り回されることもありません。また、締め切りを忘れていて、直前になってドタバタするということもありません。

卑近な例としてお話しすると、仕事とは関係ありませんが、私は二カ月に一度ぐらい

のペースでマスターズという水泳の大会に出場しています。この大会でタイムを上げるために、俯瞰逆算でスケジュールを組んでいます。

大会に向けては、チームによるトレーニングが週二回あります。またそれとは別に、個人でトレーニングも行っています。そこで、どの段階でどういうトレーニングをするか、どういうふうに体をつくっていくか、そのために今日はどういうトレーニングをすればいいかを逆算して考えているのです。

カレンダーこそベストのスケジュール帳

このような俯瞰逆算スケジュールを管理するのに便利なのが、カレンダーです。

カレンダーなら、常に一カ月分を丸ごと俯瞰でき、数カ月先の予定を確認するのも簡単です。将来のゴールから今日まで、どれぐらいの時間があるのかを、量としてビジュアルに把握することもできます。書き込みもできます。使いはじめると、これほど便利なものはありません。

これに対して、ふつうの手帳だと、一度に見渡せるのは一週間ないし二週間なので、

俯瞰逆算には向きません。「木を見て森を見ず」の諺のように、直近の予定しか目に入らないからです。たとえば数週間先の予定を書き込んでおいたものの、目先の日程に追われて忘れてしまい、直前になって手帳を見て慌てた、といった経験はないでしょうか。

また、締め切りが一カ月後の仕事の場合、ただ締め切りを気にしているだけでは、他の仕事のアポイントメントがどんどん入ってしまい、結局直前になっても時間がとれず、「徹夜しても終わらない」という事態に陥りがちです。

でも、カレンダーを使って俯瞰逆算していれば、ほかにたくさん仕事を抱えていても、全体のスケジュールの中からその仕事にあてられる時間を見つけ出し、あらかじめ「天引き」して割り振っておくことができます。

カレンダーの唯一の難点は、持ち運びに不便なところですが、そもそも携帯用につくられたものではないので、仕方がありません。二つ折りにできるようになるだけで、便利さはかなりアップすると思います。いつかどこかが、手帳のように持ち運びしやすいカレンダーを商品化してくれることを願っているのですが……。

カレンダーを使っているかどうかは知りませんが、数々のベストセラーを生み出して

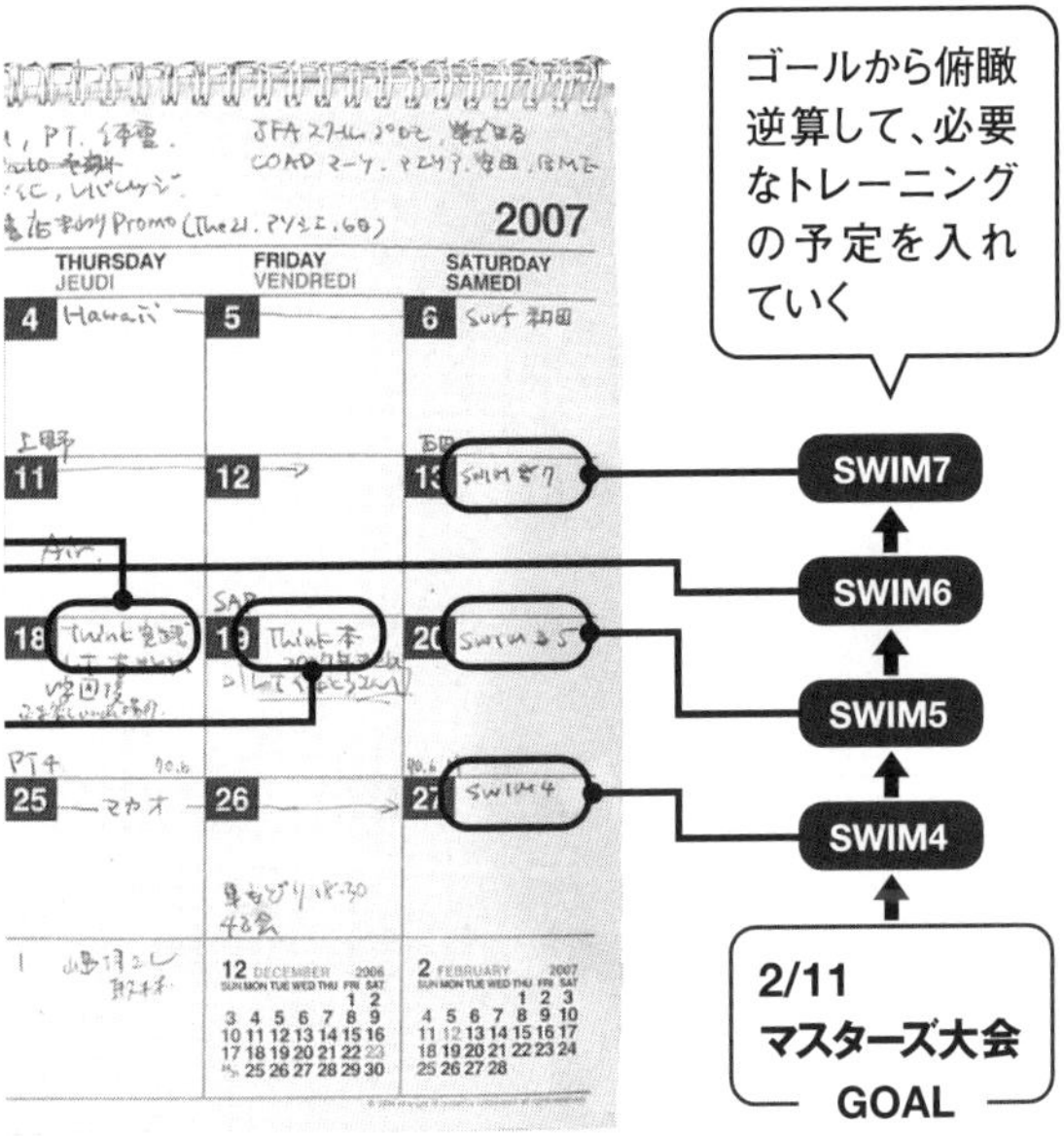
2007
THURSDAY
JEUDI
FRIDAY
VENDREDI
SATURDAY
SAMEDI
ゴールから俯瞰逆算して、必要なトレーニングの予定を入れていく
SWIM7
SWIM6
SWIM5
SWIM4
2/11
マスターズ大会
GOAL

レバレッジ・スケジュール1―俯瞰逆算スケジュール―

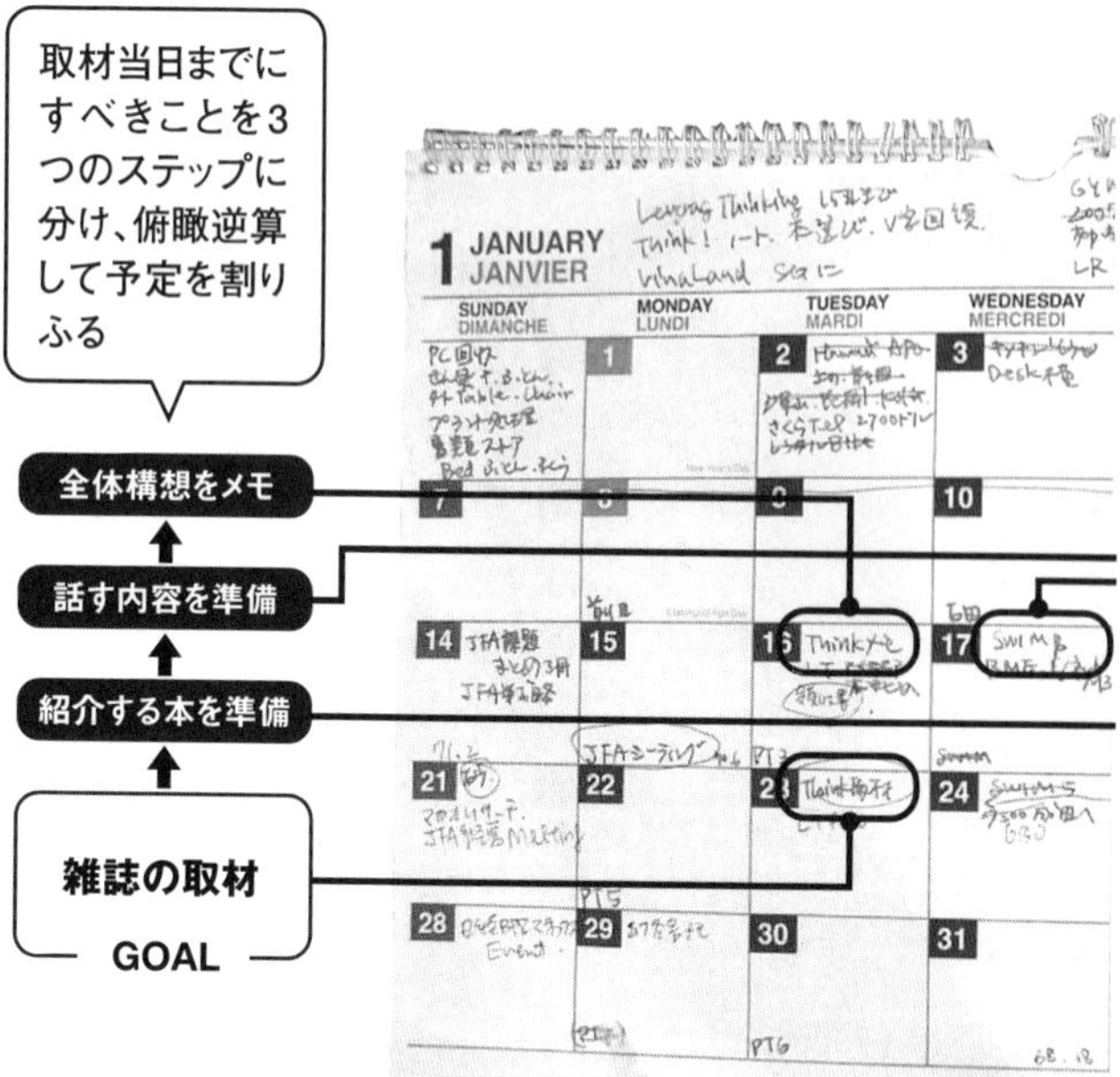

いる作家の石田衣良《いら》さんも、スケジューリングは月単位で行っているそうです。小説を書く際も、まず全体像のフローチャートのようなものをつくり、逆算で構想を練るとか。

このことを知って、俯瞰逆算スケジュールは、成果至上主義で、なおかつ大量の仕事をこなしていく人にとっては不可欠な方法であることを、さらに強く確信しました。

「課題」がなければ「成果」もない

私はよく、社員に「君の課題は何だ？」と聞くことがあります。ここでいう「課題」とは、前述の「ゴール」と同じ意味です。課題があってこそ、なんとかしよう、より良くしようという頑張りもききます。実際、課題をしっかり持っている社員は成長も速い、というのが私の実感です。

このような質問をすると、ずらずらと「問題点」を挙げてくる社員もいるのですが、私は「課題」とは、「問題点」のようなネガティブなものではなく、ポジティブなものだと考えています。

どうすれば今よりよくなるかを考えることが課題であって、「課題」と「成果」とは

表裏一体の関係にあります。たとえば、週五時間かかっていた仕事を一時間で終わらせるのも「課題」だし、英語を話せるようになるというのも「課題」です。

あるいはマネージャーになって部下のモチベーションを高めるにはどうすればいいか、独立起業するには何が必要か、仕事上で必要なキーパーソンに会うにはどういうアプローチをすればいいか、といったことも同様です。

何を課題（ゴール）とするかは人それぞれですが、俯瞰逆算スケジュールのすべては課題（ゴール）のクリア（達成）のために存在します。

課題を設定し、俯瞰逆算して、スケジュールに乗せること。そこまでできれば、あとはそれを日々実行していくのみ。

それは、成果を上げるための、最も確実で、最もシンプルな、黄金のルールなのです。

「ランチ」「ディナー」も三カ月戦略で

カレンダーとは別に、もう少し詳細な予定表もあります。

カレンダーに書き込むのは三カ月先、半年先を見越して設定した大局的なゴールが中

心で、日々の細かい予定は、ＰＤＡに入力します。そして、これもカレンダーと同じ一カ月単位の表示にして、Ａ４のコピー用紙にプリントアウトしています。

本当はすべて一元化できるのが理想的なのですが、ゴールから俯瞰逆算して戦略を練るにはやはりカレンダーが便利で、細かい予定やパターン化した予定の書き込み・予定の変更を管理するのはやはりコンピュータが便利なので、このような形になりました。手書きとデータ入力の使い分けについては、あとでまた少しお話しします。

ＰＤＡの内容も月単位でプリントアウトしているのは、俯瞰逆算できるようにするためです。

たとえば、初めての人・旧知の人を問わず、人と会うことは、私の仕事の一部であり、重要な自己投資でもあります。ただ、私は一年の半分程度を海外で過ごしているので、日本にいて人に会える時間は自ずと限られてきます。

そこで、私は平日の午前一一時半から午後一時半までをランチ、午後七時から一一時までをディナーとして、人に会う時間と決めています。そして、スケジュール帳にあらかじめ「ランチ」「ディナー」の時間をブロックしておきます。誰と会うのかが決まっ

たら、「ランチ」「ディナー」というタイトルの代わりに、会う人の名前を入れます。

このようにしておくと、ペーパーさえ見れば、向こう三カ月のうちに、あと何日分空いているか、つまりあと何人と会えるかが明確になります。そして、このタイミングで会っておかなくてはいけない人は誰なのかを考えながら、さらにその欄を埋めていくことができるのです。

このような見通しが立っていないと、今日はちょっと時間が空いたから会社の人間と飲みに行こう、となってしまう。もちろんそのような親交を深めるための会食は楽しく大切なことなので、私もまったくしないわけではありません。しかし、場当たり的では、将来リターンを生んでくれる時間資産にはなりません。

準備期間一年弱で大学に現役合格

私が俯瞰逆算でスケジュールを考えるようになったのは、高校時代からです。きっかけは大学入試でした。

当時、私が通っていたのは、現役で大学に進学する人がほとんどいないような高校で

木曜日	金曜日	土／日曜日
	X月1日	2日
	8:45 10:45 Personal Trainer7 11:30 13:30 C社T屋さん 14:00 15:30 T誌取材 15:30 16:30 K沢さん 19:00 23:00 S津さん	
7日	8日	9日
11:30 13:30 T本さん 14:00 15:30 領収書 16:00 16:30 T野さん 16:30 18:00 C社H野さん 20:00 21:00 SWIM	9:00 11:00 Personal Trainer9 11:30 13:30 Y田さん 14:00 15:00 取締役会 15:00 16:00 Y木さん 16:00 18:00 S井さん 19:00 23:00 S社Kさん	10日 シート交換 16:00 17:00 SWIM
14日	15日	16日
19:00 23:00 N村さん	シート交換 8:50 10:50 Personal Trainer11 11:30 13:30 R社U田さん 14:00 18:00 G社K田さん (1/3) 19:00 23:00 E社T井さん	17日 16:00 17:00 SWIM
21日	22日	23日
8:30 10:30 Personal Trainer13 11:30 13:30 Y社K地さん 14:00 15:00 N紙取材 20:00 21:00 SWIM		24日
28日	29日	30日
11:30 13:30 Lunch 14:00 15:00 L社ミーティング 19:00 23:00 S尾さん	11:30 13:30 A社Sさん 19:00 23:00 Dinner	シート交換 31日

インプット（自己投資）の時間は、あらかじめ天引きしてある

まだ会う人を決めていないランチ、ディナー。月内にあと何人会えるかが、すぐ分かる

レバレッジ・スケジュール2―詳細な予定―

2007年X月

定例のミーティングやモノの交換など、定期的な予定は一括して入力してある

月曜日	火曜日	水曜日
4日	**5日**	**6日**
9:00 11:00 Personal Trainer8	シート交換	
11:30 13:30 C社H本さん	11:30 13:30 M社N村さん	11:30 13:30 G社K田さん
15:00 18:00 JFAミーティング	14:00 16:00 T永さん	15:00 16:00 K下さん
	16:30 18:00 D誌取材	16:30 17:30 D社G藤さん
19:00 23:00 O野さん	19:00 23:00 K藤さん・H瀬さん	19:00 23:00 T社W部さん
11日	**12日**	**13日**
	水やり	JFA合宿
11:30 13:30 S田・S藤さん	8:50 10:50 Personal Trainer10	11:30 集合
	11:30 13:30 N社K田さん	
15:00 18:00 JFAミーティング	14:00 16:00 T社Sさん (1/3)	
	17:00 18:30 D社G藤さん	
19:00 23:00 K藤さん	19:00 23:00 N社Tさん	
18日	**19日**	**20日**
9:00 11:00 Personal Trainer12		シート交換
11:30 13:30 K沢・I辺さん	11:30 13:30 Lunch	9:45 12:00 D社ミーティング
		12:00 13:30 Hさん
15:00 18:00 JFAミーティング	15:00 18:00 G社K田さん (2/3)	14:00 16:00 T社Sさん (2/3)
19:00 23:00 U社Hさん	19:00 23:00 K山さん	19:00 23:00 Dinner
25日	**26日**	**27日**
シート交換	水やり	
11:30 13:30 M社I川さん	11:30 13:30 E本さん	11:30 13:30 I社Y木さん
		13:30 15:00 P社Y岡さん
15:00 18:00 JFAミーティング	15:00 18:00 G社K田さん (3/3)	
19:00 23:00 O社T山さん	19:00 23:00 Dinner	19:00 23:00 T木さん

した。その中でも私の成績はきわめて悪く、下から数えて数番目。自他ともに認める落ちこぼれです。

そんな私が、急に大学に行きたいと思い立ったのは高三の春。ただし親からは、現役で入れなければ即就職しろと厳命されました。もちろん、そんな成績では合格するはずもありませんから、「これはまずい」と必死に勉強法を考えるようになったのです。

受験まで、残された時間は一年弱。としたら、基礎学力をつけ、苦手科目の穴をつぶして……などとじっくりやっていく余裕はなく、「合格に必要なことだけをやる」しか方法はありません。

そこでとったのが、「合格ラインに達するためには、一月までにこの問題集を終わらせる必要がある」「そのためには一二月までにこの参考書を終わらせる必要がある」「とすれば今日はこの範囲までやっておく必要がある」という逆算思考だったのです。

スケジューリングにカレンダーを使い始めたのも、このときからでした。受験生には出張も会食もないので、受験日までのすべての計画を一つのカレンダーに書き込むことで足りました。こうして、一年弱の勉強で現役合格という成果を上げることができたわ

けです。

もしこのとき、逆算で考えず、たとえば「心を入れ替えて今日から授業をしっかり聞く」とか「教科書を一から覚える」という方向にエネルギーを注いでいたら、きっと進学はあきらめざるを得なかったと思います。

その後、大学を卒業し、企業に就職してからは、仕事の段取りを覚えたり、ルーチンワークをこなしたりするのにエネルギーを割かれ、さすがに俯瞰逆算はできませんでした。ふたたびカレンダーを活用しはじめたのは、膨大な課題をこなさなくてはならなくなったアメリカ留学時からです。

それ以降、自分で事業を立ち上げた現在まで、カレンダーは俯瞰逆算スケジュールの必須アイテムとして、手放せません。

個人の「事業計画」をなぜ持たないのか

ここまでの俯瞰逆算スケジュールの説明を読んで、「そんなこと、会社でやってるよ」と思う人がいるでしょう。

たしかにそのとおりなのです。プロジェクトを立ち上げるときには、そこには必ず期限なり、納期なり、なんらかのゴールが存在します。そこに向けて、チームとして計画を立て、準備を進めていくのは、プロジェクト・マネジメントの常識です。

一年後、三年後の売り上げ目標などを定めた、いわゆる事業計画も、企業であれば必ずつくります。こうした数値目標から現在やるべきことを逆算し、それをクリアしていかなければ、業績を伸ばしていくことはできません。その意味では、企業で働いたことがある人であれば、なんらかの形で、俯瞰逆算でスケジューリングしていくことを経験しているはずなのです。

ところが、こと個人レベルになると、この発想ができなくなる人が意外と多い。「あなた自身の三年計画は？」と尋ねても、「そんなこと、考えたこともない」という人がほとんどです。

しかし、ここで紹介した方法は、けっして難しい方法ではありません。特殊なスキルやノウハウも必要ありません。会社やプロジェクトで逆算を行っているのは、それがないとうまくいかないから。ならば、それを個人のレベルでも徹底的に当てはめてみれば

いい。それだけのことです。

最近は手帳の使い方に関する本や雑誌の特集がよくありますが、そこに登場する方々に共通しているのは、まず「夢に日付をつける」とか「ビジョンを掲げる」など、目標設定を明確にしていることです。成功している人は、皆、それぞれのやり方で、将来のゴールから逆算して、今何をすべきかを決めるというスケジューリングを実践しています。

ただ、ここまで読んで「よし、自分も」と思っても、ふだん使っている手帳が順行型のものだと、俯瞰逆算の発想はなかなか身につきません。日常の仕事にしろ会食にしろ、目先の予定しか見えていないと、それだけで毎日が流されてしまい、時間の使い方を「投資」として考えるという意識も働きにくくなります。

そういう事態を防ぐためにも、まずは、月単位でスケジュールを管理することを強くおすすめします。

レバレッジ資格試験必勝法

ここで実例として、私が実際にワインアドバイザーの資格を取ったときのことをお話ししましょう。

現在、私は日本ソムリエ協会認定の「ワインアドバイザー」の資格を持っています。平均的な勉強期間は半年程度と言われていますが、私はこの試験に準備期間一カ月という短期で合格することができました。

そもそも私がこの資格を取ろうと思ったのは、単純にワインに詳しくなりたいという好奇心や、人と話すときの話題として便利ということもありましたが、一番は、投資先に飲食関連の業界があるので、ワインについても知っておくべきだと判断したからです。

とはいえ、試験勉強のために日常の仕事に支障をきたすわけにはいきません。そこでまず、試験日をゴールにして、逆算でスケジュールをつくりました。○日のこの時間帯はフランスのシャンパーニュ地方をマスターし、翌日の○時からはボルドーを完璧に覚えるといった具合に綿密な計画を立てたのです。

このスケジュールをつくったのは試験日のおよそ一カ月前。集中的に勉強したのはわ

ずか二週間です。ふつうは最低でも半年間の勉強が必要と言われているので、無謀と言えば無謀なスケジュールです。

ここでポイントになるのが、知識のインプットや暗記にとりかかる前に、何をどの程度まで勉強したらよいのかという勉強法の検討に、十分な時間をかけたということです。

このような試験は、指定テキストはかなりボリュームのあることが多いのですが、実際に出題される範囲は限られています。そこでまず、過去にどういう分野からどういう出題があったかを、徹底的に研究しました。これによって、集中的に勉強すべき部分とやらなくてもいい部分が明確になりました。

さらに、このような試験はだいたい六〇％できれば合格とされています。そこで、一〇％程度余裕を持たせて、七〇％程度を得点できる方法も徹底的に研究しました。

試験まで時間が少ししかないとなれば、勉強の計画を立てる時間も惜しい、すぐにテキストを読み始めなければ……と思いがちなのですが、そうやって見切り発車してしまうと、たいていの場合、試験日までに最後まで終わりません。

反対に、勉強以外の、ゴールに向けての最短距離を探すことに時間を投資すれば、実

際の勉強にかかる時間を効率化し、合格という大きな成果を上げることができます。これがまさに「時間にレバレッジをかける」ということなのです。

時間家計簿でダラダラ時間をチェック

俯瞰逆算スケジュールと並ぶ、レバレッジ・スケジューリングのもう一つの大きな柱は、一日の「時間割」づくりです。

時間割づくりのためにまず必要なのは、自分の時間分析。家計簿をつけるように、自分がどういうことにどれだけの時間を使っているのかを時間家計簿をつけてチェックしてみるのです。

家計簿をつけると、お金の出入りが分かります。実は私は、昔から自分で家計簿をつけていました。男が家計簿をつけるなんてとバカにされたこともありますが、「収入のうち、公共料金や食費などの固定費はどのぐらいなのか」「貯蓄や娯楽にあてられるのはどのぐらいなのか」「自己投資にどれぐらいお金をかけているか」など、記録に残すことで、重要なことが見えてきます。これを、時間にも応用しようというわけです。

といっても、自分の一日の行動を五分刻みで記録するような面倒な作業は必要ありません。

具体的にはまず、時間の使い方を、大きく四つのカテゴリーに分類します。一つ目は自己投資である「インプット」の時間。この内容は人によって変わってきますが、私の場合は、人に会う時間、読書の時間などがこれにあたります。二つ目は仕事をしている「アウトプット」の時間、三つ目は食事や風呂や睡眠などの「生活」の時間、そして四つ目は自由に使う「プライベート」の時間です。そして、一日二四時間を、三〇分～一時間単位ぐらいで、四つのカテゴリーに分類して記録するのです。

これを一カ月程度続けてみると、自分の生活と仕事のパターンの大枠が見えてきます。そうすると、まず気がつくのは、何をしていたのかよく分からない「不明時間」の多さでしょう。日頃忙しくて、プライベートの時間がないことに不満を持っている人でもそうです。「不明時間」のほとんどは、大しておもしろくないと思いながらダラダラとテレビを見てしまった、ネットを見ていた、誰かと無駄話をしていた、うたた寝をしていた、などの非生産的な時間のはずです。

そこに気がついて、そういう部分を有効に使わないといけないな、と意識するようになるだけでも、時間家計簿をつけた意味があります。

成果を数値化して時間の「厚み」を分析

一カ月分の時間家計簿ができたら、これを「成果」の観点から評価します。対象になるのは、主に「インプット」と「アウトプット」の時間です。これを、「成果につながっている」「成果につながるはずなのに、それだけの成果が上がっていない」「そもそもやる必要のないムダなこと」のどれにあたるのかを評価するのです。

このとき、一カ月に読んだ本の数、新しく会った人の数、一つ一つの仕事にかかった時間などを数値化してみると、とても役に立ちます。

時間家計簿を見ると、「インプットの時間が少なく、不明時間が多すぎる」「プライベートの時間が少ないと思っていたが、時間量としてはけっして少なくない」など、自分の時間の使い方の問題点がクリアになります。

それにより、四つのカテゴリーをどう配分したらいいのかという、今後の時間の使い

方の指針が見えてきます。数値化した成果をベースにして、自分なりの「ノルマ」を決めることもできます。

ただし、ここで注意してほしいのは、記録を残すこと自体に労力をかけるのは本末転倒だということです。厳密に「何時何分から何時何分まで◯◯した」などと書く必要がないのはもちろんのこと、フォーマットなども不要です。

目的は、あくまでも自分が時間を効率的に使うための分析です。大雑把な時間とその内訳（読んだ本の書名や仕事の内容など）が、自分で分かるようにメモしてあれば十分です。

一日分の時間家計簿をつけるのにかかる時間はせいぜい二〜三分。それすら面倒くさいと思う人もいるかもしれませんが、一度自分の時間を分析しておけば、ムダなことをやらなくて済むようになり、もっと面倒くさいことから解放されます。すなわち、この作業も、ノーリスクで確実に儲けることができる、やらないほうが損をする「時間投資」なのです。

「インプット」の時間をまず天引きせよ

そして、これらの作業の仕上げとして行うのが、自分だけの「時間割」づくりです。前述の「インプット」「アウトプット」「生活」「プライベート」の四つのカテゴリーに基づいて、毎日○時から○時までは◯◯の時間、と自分の生活をパターン化してしまうわけです。

ポイントは、まず「インプット」の時間を「天引き」することです。会社員の場合、仕事時間である「アウトプット」は、ある種の拘束時間として半ば強制的に埋まってしまいます。これに対して、「インプット」の時間は、時間投資の元手として最も重要であるにもかかわらず、意識していないと、すぐほかの時間に侵食されてしまいます。

そこで、「インプット」の時間を最優先で決めて、次に、「アウトプット」「生活」、最後に「プライベート」の順で割り当てていきます。

念のために述べておきますが、順番が最後だからと言って、「プライベート」の時間を無理に削る必要はありません。よくないのは、そのつもりではなかったのに、気づいたら自由時間になっていたというケースなのです。

またせっかく確保しておいても、「プライベート」は自由時間だからと言って、やることをまったく決めておかないと、ただなんとなくダラダラ過ごして、「不明時間」と変わらなくなってしまいます。

そうならないように、あらかじめ、映画を観に行く、趣味にあてる、ショッピングをする、家族と旅行をするなど、中身も決めておくといいと思います。

ちなみに現在の私の場合、平日の朝は五時（冬は六時）に起床し、入浴も含めて二〜三時間の読書の後、新聞・テレビのチェック、そして一日のプランニングをします。また午前中の二時間はジムで汗を流し、昼は必ず誰かとミーティングを兼ねたランチ。午後二時ごろから仕事を開始し、七時までには終了。翌日一日のプランニングを軽くイメージしてから、必ず誰かとディナーに出かけます。そして帰宅は夜一〇〜一一時ごろ。これが私の日常的な「時間割」です。

「時間割」をつくれば頭も体も勝手に動く

こうして時間家計簿から時間割をつくる作業は、一年に一度ぐらいのペースで試して

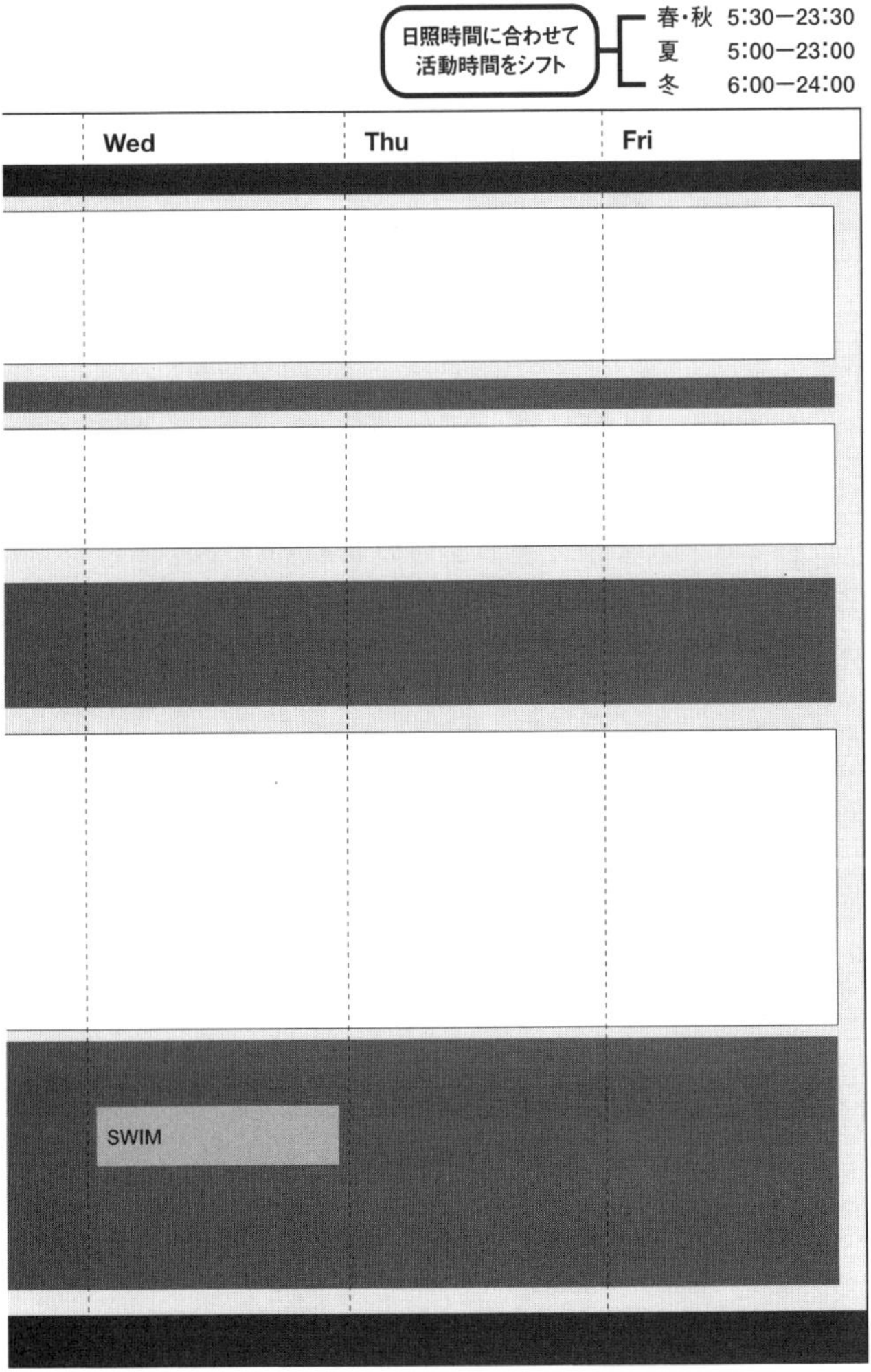
日照時間に合わせて
活動時間をシフト
春・秋 5:30—23:30
夏 5:00—23:00
冬 6:00—24:00
Wed
Thu
Fri
SWIM

レバレッジ・スケジュール3—時間割—

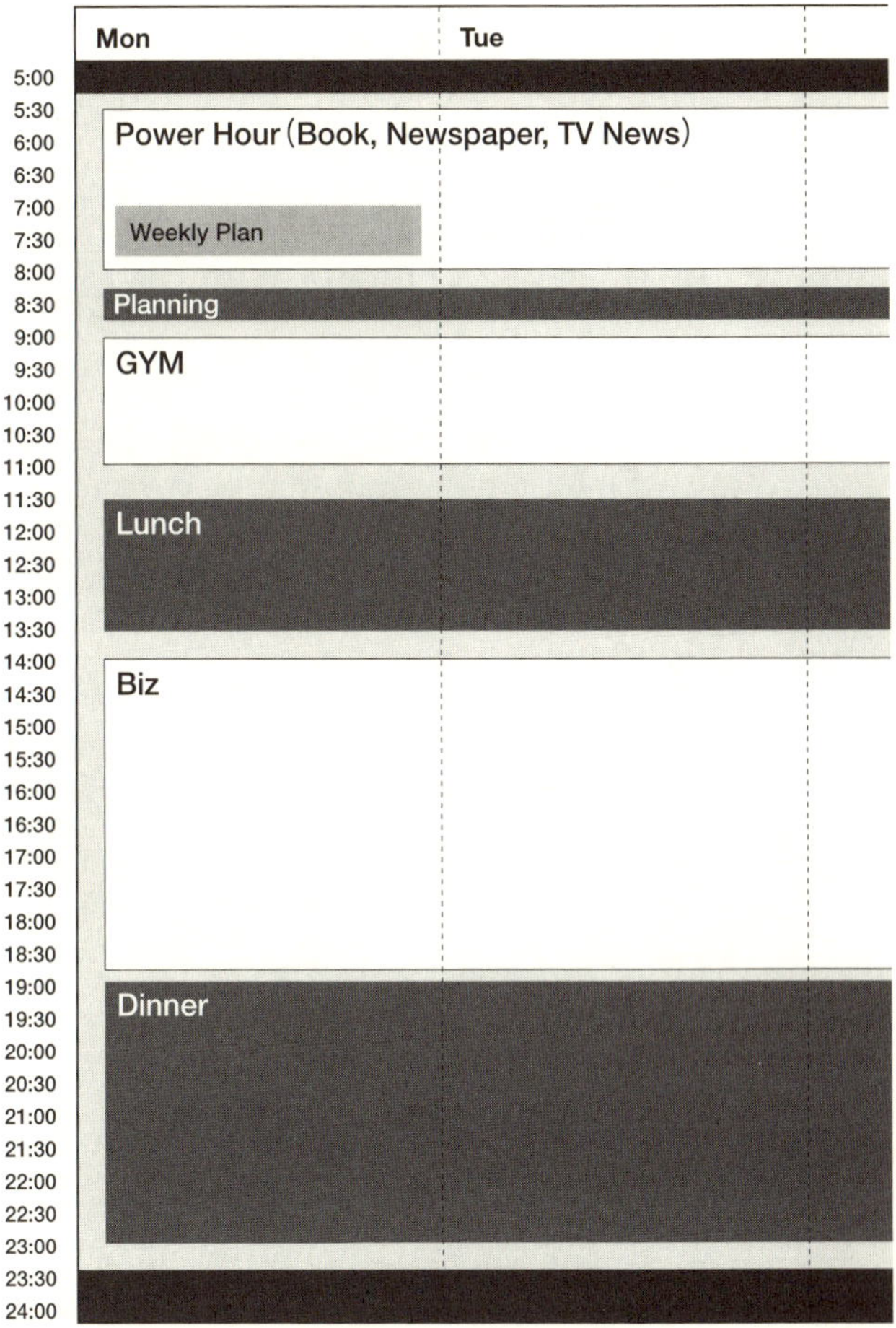
Mon
Tue
5:00
5:30
6:00
6:30
7:00
7:30
8:00
8:30
9:00
9:30
10:00
10:30
11:00
11:30
12:00
12:30
13:00
13:30
14:00
14:30
15:00
15:30
16:00
16:30
17:00
17:30
18:00
18:30
19:00
19:30
20:00
20:30
21:00
21:30
22:00
22:30
23:00
23:30
24:00
Power Hour (Book, Newspaper, TV News)
Weekly Plan
Planning
GYM
Lunch
Biz
Dinner

みるといいと思います。仕事としてやるべきこと、必要な自己投資、プライベートでやってみたいことなどは、時間がたつと変わってくるはずです。一年に一度はそれらを棚卸しして、そのときどきの自分のゴールに向けた時間割をつくるのがいいと思います。

ただし、この時間割は、あまり厳密なものである必要はありません。三〇分〜一時間単位で区切れば十分です。細かく刻んでも、よほど自分を律することが得意な人でなければ、そのとおりに行動するのは無理でしょう。長続きさせるためには、ある程度のバッファーを持たせることが必要です。

そもそも私が「時間割」をつくっているのも、自分が面倒くさがりで意志が弱く、放っておけばついダラダラとサボってしまう人間だからです。

子ども時代を思い起こしてみてください。小学校、中学校と、みんな時間割にしたがって生活してきたはずです、好むと好まざるとにかかわらず、とりあえずチャイムが鳴れば席に着き、またチャイムが鳴れば教室を飛び出す。「一時間目は算数」「二時間目は国語」などとやることが決められているので、嫌いな科目でもやるしかない。それにより、飽きっぽい子どもや怠けやすい子どもも、それなりに規則正しい生活を送ることが

できます。

逆に「いつでも自由に勉強していいよ」と言われれば、たいていの子はだらけてしまいます。好きな勉強は一生懸命するけれど、嫌いな勉強は何もしない。勉強嫌いな子なら、ひたすら遊んでしまうかもしれません。

同じことが大人についても言えます。時間割とは、自分自身にアポイントメントを入れておくようなもの。一度決めてしまえば、毎日「今日は何をやらなければいけないのか」と頭を使わなくても、自動的に体が動くようになります。

「何をするかは、その日ごとに自由に決めていい」ということだと、よほど自分をきちんとコントロールできる人でなければ、何をしたらいいのか迷ったり、ダラダラと過ごす時間が多くなってしまうのではないでしょうか。

デキる人は自分の「時間割」を持っている

私の知っているビジネスパーソンにも、「時間割」的なスタイルをとっている人はたくさんいます。また、優れた経営者の中にも、生活のパターンを決めている人は多いよ

うです。

たとえば花王の後藤卓也会長は、次のように述べています。

私は管理職になる前からずっと夜は一〇時に就寝し、朝は五時起床です。土日も五時に起床しています。ウィークデーはパターンがだいたい決まっていて、七時半に出社し、八時半までの一時間はアポなしで平社員でも誰でも部屋にきていいよという時間にしています（略）。（夜は）七時、八時までが自分の働く時間だという習慣になってしまうと、そのような割り振りで仕事をするようになってしまうのではないでしょうか。

（『時間とムダの科学』大前研一ほか著／プレジデント社）

これは、ファーストリテイリングの柳井正会長兼CEOとの対談での発言なのですが、これを受けて、柳井会長もほぼ同じように生活をパターン化していると話しています。

起きる時間から出社する時間、さらに出社して何かを考える時間まで、後藤会長のタイムスケジュールを後ろに一時間スライドさせれば、そのまま柳井会長のタイムスケジュ

ールになるとか。

時間割を決めて、ムダなことに頭も時間も割かない。そこから生まれた時間資産を、重要な経営判断にあてて、成果を上げる。これがお二人に共通するスタイルと言えます。

「時間割」のメリットと活用法については、次章でさらに詳しくお話ししたいと思います。

毎朝の「タスクリスト」はゴールへの最短ルート

レバレッジ・スケジューリングの三つ目の柱が、毎朝つくる「タスクリスト」です。

「時間割」は、いわば時間の予算組みのようなもの。あとは、それぞれの予算枠の中で、具体的に時間をどう使うかが重要になります。

タスクリストのつくり方も、もちろん俯瞰逆算です。必ず前述のカレンダーを見ながら、そこで設定したゴールをクリアするために、いつの時点で何をしなければならないか、そのためには今日、具体的に何をすべきかというところまで、落とし込みます。

また、私の場合、今はオフィスでの仕事時間は午後二時ごろから七時ごろまでと決め

ています。会社勤めの人に比べるとかなり短い、たった五時間ですから、できることは限られます。やるべきこととやらなくてもいいことの取捨選択も、タスクリストの重要な役割です。

私にとってタスクリストをつくる作業は、地図を見て目的地へ行くための最短ルートを探すようなものです。毎朝、これをつくるのにかかる時間は、せいぜい五分程度ですが、これによってゴールに到達できるかどうかが決まるわけですから、きわめて重要な時間投資と言えます。

ただし、このタスクリスト自体は、コピー用紙への走り書きで、他人が見ても判読できないほどグチャグチャです。毎日新しい紙に替えることもありますが、それも気分しだいで、前日のものに書き加えることもあります。終わったものは線を引いて消していきます。特にフォーマットも決めていません。人に見せるものではないし、格好いいものにしようとすると、リストをつくることが面倒になってしまうからです。

自分が面倒くさがり屋であることは、これまで何度もお話ししてきましたが、私の周囲の経営者を見ても、成功している人は、実は、かなりの割合で面倒くさがり屋です。

一見、几帳面そうに見えても、本音ではできるだけラクをしたいと思っている。「物事をできるだけ簡単に」という志向は、長続きして、大きな成果を上げるための大切な条件だと思います。

成果を生み出さない「ToDoリスト」

「これって、ToDoリストのことですよね。それなら自分もつくっています」と思う人も多いでしょう。たしかに一般的に、その日一日にやるべきことを書き留めたリストは「ToDoリスト」と呼ばれることが多いようです。

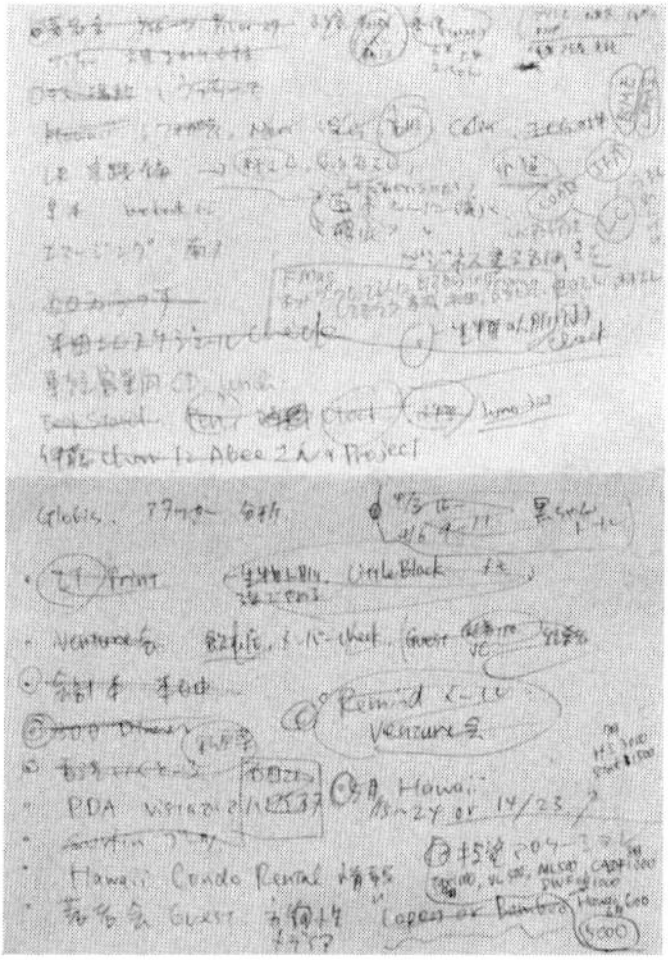

タスクリストは手書きで作成

私が「ToDo」ではなくあえて「タスク」と呼んでいるのは、「タスク」には「自ら選んでやる」という語感があるのに対し、「ToDo」だと「やらなければなら

ない」「やらされていること」という語感が強くなるからです。

前述の「アクティブ」と「パッシブ」になぞらえて言えば、「タスク」が「アクティブ」、「ToDo」が「パッシブ」。「タスクリスト」が、あくまで成果を出すための俯瞰逆算リストであるのに対し、「ToDoリスト」は、目先の仕事をこなすことに主眼を置いた、順行の積み上げ型リスト、というイメージです。

また「ToDoリスト」には、「A」「B」「C」といった優先順位をつけたほうがいい、とよく言われます。しかし私がつくっている「タスクリスト」には、優先順位はついていません。最重要事項はどれかなどと、わざわざ考える必要はないと思うからです。

そもそも「タスクリスト」とは、「成果を上げるために、今、必要な仕事」のリストです。あえて優先順位をつけるなら、これらはすべてAランクです。一方、BランクやCランクに位置づけされるのは、「今やらなくてもいい仕事」「やってもやらなくてもいい仕事」です。

俯瞰逆算スケジュールとは、すでにゴールが決まっていて、それに向けて何をやるかを考えるものです。時間が無限にあるなら、思い浮かぶ仕事をすべてリストアップする

のもいいかもしれません、しかし時間は限られています。

制限時間を意識していれば、成果につながらない仕事は最初から排除されます。リストの中身はすべてAランクにしかなりません。逆に、厳しい言い方になりますが、ランク付けが必要なリストは、限られた時間の中で成果を上げるように取捨選択されていないリストと言えるのです。

ただし、「タスク」ではないけれど重要なことのために、「備忘リスト」はつくっています。「ToDo」的なものや、ランチやディナーの店の予約、あるいは「電球を買う」など、些細でも忘れてはいけないことを書き出したものです。

このようなリストをつくるのは、「誰かに電話しなくちゃいけなかったんだけど」といったような、思い出す時間をカットするため。読書用ライトの電球が切れているのに買い忘れて、読書しようとするたびにストレスがたまるのを避けるため。言ってみれば一〇円玉貯金のような時間投資ですが、これらのチリツモ（塵も積もれば山となる）効果もバカになりません。

一枚のチェックリストの大きな投資効果

「タスクリスト」「備忘リスト」とともに、もうひとつ、よく活用しているのが「チェックリスト」です。

これは、第一章でお話しした、ルーチンワークの「仕組み化」の一環と言えます。

たとえば私は日本ファイナンシャルアカデミーという会社の社外取締役を務めていますが、ここでは、年に一〇〇回以上、一般の人たちが投資・会計・起業などについて学べるセミナーを開催しています。

開催までに行うことは、講師の選定・依頼、案内状の作成・送付など、どのセミナーでもほとんど共通しています。これを毎回、「あれをやって、これをやって」と考えながら進めていたのでは、抜けが出る可能性が高くなります。毎回同じことをやっているのに、いちいち考えるのは時間のムダでもあります。

そこで私たちは事前に何をやるべきかチェックリストをつくり、それを見ながら仕事を進めることにしています。当日までにすべきことはもちろん、終わったあとのフォローまで含めたリストをつくり、全部の工程をチェックしたら、その仕事は終わりという

チェックリストの一例

種類	日曜日	平日

セミナーチェックリスト　担当:

2/1 ← 開催決定日を入力

4/17 ← セミナー日を入力

	予定日	処理日	目安	TO DO
□	2/1	/	開催決定日	会場予約の電話　03−XXXX−XXXX
□	2/2	/	決定翌日	HP作成
□	2/2	/	決定翌日	講師へ確認
□	2/2	/	決定翌日	資料到着日の確認　（　月　日）
□	2/2	/	決定翌日	プロジェクタ使用有無の確認
□	4/15	/	前々日	顧客へのそろそろメール
□	4/15	/	前々日	講師へのそろそろメール
□	4/17	/	セミナー前	持ち物チェック
□	4/17	/	**セミナー**	
□	4/17	/	セミナー後	アンケート送信
□	4/18	/	翌日	講師へのお礼メール送信
□	4/24	/	1週間後	アンケート集計

セミナー開催日から逆算して、それぞれの仕事を終える期限が自動的に入るようになっている

わけです。

チェックリストさえあれば、担当者が変わった場合の引き継ぎも簡単です。リストを見ればすべきことは全部書いてあるので、新しい担当者は、一から覚えたり、考えたりする必要がありません。

またリストには単にやるべきことをリストアップするだけでなく、それぞれの仕事を何月何日までに済ませるかも、開催日の日付から逆算して入れています。

こうしたセミナー開催のノウハウをつくり上げるまでには、多大な時間と労力が費やされています。チェックリストをつくるとは、それを「仕組み化」し、再現性を持たせることなのです。

これにより、ゼロから段取りを考えたり、大事なことを抜かしてしまってやり直したりする時間がなくなり、多くの時間資産が生まれます。その時間を「もっとセミナーの内容をよくする方法はないか」と付加価値を高めるために使う、すなわち再投資することで、より大きな成果を得ることができるのです。

紙にしてたった一枚のことですが、その投資効果は絶大です。

出張の荷造りもチェックリストで効率化

チェックリストは、会社での仕事に役立つだけではありません。

たとえば私は、出張時のチェックリストをつくることで、出張の準備を大幅に効率化することができました。

私は毎月最低一回は海外に出張があり、そのたびに荷造りが必要になります。

誰でも経験があるでしょうが、荷造りというのは、けっこう面倒な作業です。必要なものを、思いつくままにカバンやトランクに詰めていくと、家の中をあちこち動き回らなければなりません。また、後になって入れ忘れに気がついて、いったん詰めたものを取り出し、また詰め替えるなどということも、よくありました。

それではあまりに非効率で時間のムダだと気づいたので、荷造り用のチェックリストをつくることにしたのです。資料やパソコン回りなど仕事道具はもちろんのこと、二日間の出張ならTシャツは何枚、靴下は何足といったこともリスト化してあります。ものを取りにいく動線が短くなるよう、どの順番で揃えるのが最も効率的かも考え、全部チ

エックし終われば、荷造りが自動的に完了するようにしました。

このチェックリストをつくるまでは、下手をすれば二〜三時間もかかっていた荷造りが、三〇分足らずでできるようになりました。ちょっとしたことですが、回数が重なれば大きな投資効果となります。

小さなこともリストにして習慣づけ

ほかにも、日常生活で習慣化したいことは、どんなことでもチェックリストにしています。「やろうと思っていたけれど忘れてしまった」ことを思い出したり、後になってやり直したりすることは、とても時間のロスだからです。

たとえば、しばらく前につくったリストには、「判断は楽しいか楽しくないかで決める」「時間とコストを比較して、費用対効果を考える」「仕組み化ができているか」といったビジネスに関係することから、「仕事を終えたら、机の上を片づける」「水回りをきれいに洗う」「食器はすぐに洗う」「脱いだ靴は揃える」といった子どもの躾のようなことまで書いてあります。

こういうことが常にできている人にとっては、くだらない内容に見えるかもしれませんが、私の場合、紙に書いておかないと、すぐに忘れてしまいます。いつでも見られる形にしておきさえすれば、忘れてしまってストレスをためたり、「自分は最近たるんでるんじゃないか」などと、あいまいに悩むこともなくなります。

リストさえ見れば、できているかできていないかは即座に判断できます。できていればOK。できていなければ、習慣になるまでリストを見返します。

ここに挙げた項目はずいぶん昔につくったもので、毎日見返していましたから、紙はもうボロボロです。さすがに最近は毎日見なくても、かなり実践できるようになりましたが、それでもときどき見返して、忘れていることがないか、チェックするようにしています。

パソコンと手書きをどう使い分けるか

私が実践している「レバレッジ・スケジューリング」では、パソコンやPDAとカレンダー、手書きのメモを併用しているので、どうやって使い分けているのか、どうして

パソコンに一元化しないのかと、よく尋ねられます。

これにはあまり深い理由はなく、どの方法が最も効率的かを実際に試してみて、パソコンが便利なものはパソコン、手書きが便利なものは手書きで行っているだけのことです。

たしかに、すべての情報管理をパソコンに一元化したほうが、整然として格好いいかもしれませんが、パッと思いついたことをその場でメモするなどの作業は、パソコンより手書きのほうが便利です。

以前は、タスクリストをパソコンに入力していたこともあったのですが、パソコンで管理するだけのメリットがないと分かったので、やめてしまいました。また、三カ月先、半年先のゴールから俯瞰逆算して戦略を練る作業には、カレンダーが一番便利なことも前にお話ししました。

逆に、パターン化したルーチンワークや、定期的な予定の管理は、パソコンで行うのが便利です。私の場合、アウトルックのスケジュール機能をPDAと連動させて使っているのですが、「毎週月曜日に入る打ち合わせ」「月末に必ず入る出張」「今週一週間、

毎日しなければならない会議」といったものは、「定期的な予定」として設定することで簡単に入力できます。

毎週一回、必ずやる仕事を手書きにすると、一年では五〇回も書き込まなければなりません。パソコンを使えば、その分の時間を効率化できます。

人に会う予定も、誰といつ、どこで会ったかを入力しておけば、後日、「あの人に会ったのは、いつだったかな」と思ったときも、検索機能を使ってすぐに調べられます。

プライベートなスケジュール管理も同様です。

私の家では猫を飼っていて、五日に一度、トイレシートと砂の交換をしています。これを記憶だけに頼ると、「前に交換したのは三日前だっけ？　四日前だっけ？」と忘れがちです。しかし「定期的な予定」として一年分入力しておけば、パソコンを開けば自動的に交換する日が分かります。

つくりっぱなしにせず常に持ち歩く

要は、「パソコンでやるか」「手書きでやるか」の二者択一で、厳密に考えすぎないと

いうことです。形式にこだわって一元化を優先すれば、どうしても面倒くさい作業を我慢してやらなければならないこともあり、それでは本末転倒です。

それよりも重要なのは、そこでつくったカレンダーや予定表、タスクリストなどを、つくりっぱなしにしないで、絶えず目で見て確認することです。

カレンダーや予定表を見れば、目標に向けた大きな流れの中で、現在の自分がどこまで近づいているかを確認することができます。今後の自分のあり方をイメージしやすくなるし、こうすればいいというアイディアも浮かびやすくなります。

私はバスタイムには、数冊のビジネス書とともに、必ずカレンダーとタスクリストを持ち込みます。また、パソコンで管理しているスケジュール表やチェックリストも必ずプリントアウトして持ち歩きます。そして朝のプランニングのときだけではなく、ちょっとした時間の合間に絶えず目を通し、中味を意識に定着させるとともに、さらにもっと効率化できないかを常に考えるようにしています。

「リマインダー」機能で組織の時間を効率化

パソコンを使ったスケジュール管理に関連して言えば、提出物の締め切りの管理などは、ヤフーほか各社が提供している無料の「リマインダー」サービスが便利です。「リマインダー」とは「思い出させること」の意味で、あらかじめ設定しておいた予定が近づくと、メールなどで通知してくれるサービスです。

「リマインダー」は、個人で使うほか、チームの予定管理にも便利です。たとえば、社員に月一回、レポートを提出してもらうとき、あらかじめ日時を設定しておくと、自動的に各社員のパソコンに「今日が提出日」というメールが送られます。これにより、提出を忘れていた社員も、「今日だった」と思い出しますし、こちらは催促をしないで済みます。これだけでお互いの時間は、ずいぶん効率化できます。

「リマインダー」には、ほかにもいろいろ活用法があります。

先に、日本ファイナンシャルアカデミーという会社では、セミナー開催の全工程をチェックリストにしているという話をしました。その工程の中で特に重要な仕事の一つが、講師への講演依頼です。

日本ファイナンシャルアカデミーは、一般にはまだあまり知られていない会社なので、

講師に講演を依頼しても、ほとんどの講師候補者は会社のことを知りません。依頼する際には、まず会社の紹介から始める必要があります。ところが、これを忘れてしまう社員が多い。社名だけ名乗って、いきなり講演の話を始めてしまうのです。講演を引き受けてほしいという気持ちが先走っているためだと思うのですが、これでは、逆効果です。

そのため、会社ではある時期、社員に「ちゃんと会社について紹介するように」という指導を強化しました。そうすると、最初のうちは徹底されるのですが、しばらくするとまた元に戻ってしまいます。ミーティングのたびにチームのリーダーが、「ちゃんと紹介しているか」「紹介しなかった人は、次回からは紹介するように」と注意を促すようにもしてみたのですが、たとえ二〜三分のことであっても、ミーティングの貴重な時間がそのようなルーチンで削られるのは、効率的でありません。

そこで、あれこれ試行錯誤した結果、現在ではヤフーの「リマインダー・メール」を使っています。「初めての講師候補者に依頼する際には、まずこういうふうに、会社の説明から話を始めなさい」といったトーク・マニュアルのようなものをつくり、これを毎週月曜日、全社員に自動的に送るようにしたのです。

メールが届けば、そのたびに「そうだ、まず会社の紹介をするんだった」と意識づけられます。中身を読めば、どういうふうに紹介すべきかも分かる。これを毎週繰り返しているうちに頭の中に刷り込まれ、会社紹介を忘れることはぐんと減りました。

そもそも社員が会社紹介をしないのは、「紹介なんてする必要ない」「したくない」と思っているからではなく、単なる「うっかり」です。

そういう社員に「忘れるな」と叱ったところで、あまり効果はありません。お互いに労力を使うし、気分もよくありません。それよりも大事なのは、うっかり忘れない仕組みをつくることなのです。

第三章

仕組み化・パターン化の絶大な効果

「時間割」のある生活は快適

生活をパターン化する、「時間割」をつくるなどと言うと、窮屈でつまらない、そんな堅苦しい発想でいい仕事ができるわけがない、と思う人もいるでしょう。

しかし、それは大きな誤解です。

私が「時間割」をつくって「パターン化」した生活を提案するのは、それがラクで快適なスタイルだからです。

たとえば私は、夏は朝五時、冬は六時に起きます。長年そうなので、体が慣れてしまい、目覚まし時計がなくても、なんの苦もなく起きることができます。起きたらまず入浴&読書、次は朝食、次は……と、やることが決まっているので、頭も体も自動的に動いて、ムダな思考や行動が入る余地がありません。

また、夜は人と会ってお酒を飲んでいることが多いのですが、朝が早い分、夜は早々に眠くなります。親しい知人などは、「眠そうだから帰ったら?」と解放してくれます。

ときには楽しくて二次会、三次会とつき合い、深夜に帰宅することもないわけではあ

りませんが、それでも翌朝五時半ごろには目が覚めてしまいます。そのまま起きてしまうと、さすがにその日は睡眠不足で調子が悪い。かといって起床時間をずらすと、入浴と読書の時間を削られてしまうので、それがストレスになります。

結局、夜は遅くとも一二時には就寝できる時間に帰宅するのが、自分にとって最も快適なペースだと体で分かっているので、無理をしなくても切り上げることができます。

食事の時間も同様です。朝食は七時ごろにとらないと力が入らないし、昼は一一時半（なぜ一二時ではないのかは後で触れます）に食べないと気持ちが悪い。そして夜の会食は七時からです。

食事には、単に空腹を満たすだけでなく、リラックスしたり、脳を休ませたりという意味もあります。それを一日のスケジュールの中でパターン化することで、頭と体のリズムを保つことができます。

逆に毎日毎日「今日は何時に起きよう」「何時に食事をしよう」「何時に家を出よう」などと考えて行動するのでは、それだけで時間のロスです。また、睡眠や食事の時間が日によってバラバラでは、心身のリズムが狂いやすく、疲労の原因になります。

また、自分をストイックに律することができる人ならともかく、私も含めてそうでない多くの人は、パターンを決めておかないと、急に時間が空いてもすることが思いつかず、結局テレビをダラダラ見て過ごしてしまう、ということになりかねません。

「習慣化」で集中力も高まる

一日の時間割をつくることにはさらに大きなメリットがあります。

それは、一つ一つの行動に時間の枠を設けることで、その枠内で完結させようというモチベーションが強く働くことです。限られた時間の中で一定の成果を上げるために、やる必要のないムダなことが排除されるので、時間密度がぐっと高まります。

また、毎日決まった時間に始め、決まった時間に終わらせるとは、その行動が習慣化されているということですが、習慣化により集中力が高まることは、脳科学でも実証されています。

たとえば、『海馬』（新潮文庫）、『進化しすぎた脳』（講談社ブルーバックス）などのベストセラーを書かれている東京大学大学院講師の池谷《いけがや》裕二さんは、以下のように述べ

ています。

ルーティンワーク化するということは、無意識化するということ。無意識の記憶を司る線条体が関与していると考えられます。繰り返すことで体が覚える。無意識だから苦にならない。そういう状態を一般的には、「集中している」と呼んでいるのです。

（「プレジデント」二〇〇七年四月一六日号）

ここで池谷さんは、私が言う「パターン化」「習慣化」とほとんど同じ意味で、「ルーティンワーク化」と言っています。

残業せずに仕事を仕上げる「仕組み」づくり

もっとも大人の「時間割」は、学校時代と違って、そのとおりに動かなくても、誰も注意する人はいません。三日坊主に終わらせないための、何らかの「仕組み」が必要になります。

また、睡眠や食事の時間は自分で体に覚えこませることができても、仕事には、急に資料を揃えなければならなくなったり、打ち合わせが長引いたりするなど、自分でコントロールできない突発的な出来事がつきものです。決めておいた時間までに終わりそうにないから、ちょっと居残りしてやっていこうかなという誘惑に駆られることもあるでしょう。時間割を乱すタネには事欠きません。

このとき、私の強力な「縛り」になっているのが、夜の会食のアポイントメントなのです。仕事であれプライベートであれ、人との約束は基本的にずらせません。○時に○○で会うと決まっていれば、それまでに何としてでも、自分の仕事の片をつけなければなりません。

逆に、どんどん約束を入れていけば、イヤでもそのタイムリミットに合わせて動かざるを得ないということになります。日本にいる間、可能なかぎり夜の会食のアポイントメントを入れるのは、それ自体がビジネスであり自己投資であるとともに、「時間割」を守って時間密度を高めるための「仕組み」でもあるのです。

ジムでのトレーニングも同じです。私は、トレーニングは、健康づくりやダイエット、

心身のリフレッシュにとどまらず、ビジネスパーソンに必要な判断力や発想力を養うのにきわめて効果的な自己投資だと考えています。そこで、現在の私の「時間割」では、平日の午前中、九時から一一時までを「ジムの時間」として「天引き」してあります。

しかし、前日にタスクを積み残していたり、体がダルかったりすると、「今日はやめておこうか」となりがちです。そこで、パーソナルトレーナーに指導してもらうことにしたのです。どんなに気持ちが乗らなくても、トレーナーとの約束があれば、行こうかやめようか、迷って時間をムダにする余地はありません。これも、「時間割」を守るための「仕組み」の一つです。

目的は「規則正しい生活」ではない

以上のように、「時間割」をつくって生活を「パターン化」することは、いいこと尽くめなのですが、カン違いしてほしくないのは、「時間割」は、あくまで成果というリターンを得るための時間投資であって、規則正しい生活を送ることそれ自体が目的なのではないということです。

この本で私が提案している「生活のパターン化」は、いわゆる九時─五時的な生活とは違います。単に、朝は定時にきっちり出勤し、正午になると食事に出かけ、夕方五時になれば帰宅する、というだけでは、なんのリターンも生み出せません。そこには「成果意識」が欠如しているからです。

本書の冒頭でもお話ししましたが、知識労働社会で求められているのは「時間内は真面目に働く」働き方ではなく、「同じ時間で、より効率的に働く」「同じ時間内で、より多くの成果を出す」働き方です。

まず「成果」というゴールありき。それをクリアするために、俯瞰逆算スケジュールによって割り出したタスクを、確実に実行する「仕組み」が「時間割」なのです。「時間割」をつくるときに、予定と予定の間を、ラインで区切るのではなく、一つ一つの行動をボックスのように枠で囲む形にしているのも、「この時間の枠内で、より多くのことをやる」という意識の表明です。

逆に、そのような意識さえあれば、オフィスに出てくる時間が五分遅れようが一〇分遅れようが、どうでもいいことなのです。だから、これも、見ていただければ分かりま

すが、私の「時間割」は、イベントのタイムテーブルなどと違って、きわめてアバウトなものです。

面倒なこと、苦手なことこそパターン化

「時間割」には入れてありませんが、ＰＤＡとアウトルックで管理している私のスケジュール表には、「机の上を片づける」「たまった雑誌を整理する」「水やり」「猫の砂を交換」などの、日常のメンテナンス的な作業を「パターン化」して組み込んであります。

たとえば机の上が散らかってしまい、「片づけなければ」と思っていても、「今週は忙しいから、来週にしよう」などと、つい後回しにしている人は多いのではないでしょうか。雑誌の整理も「せっかくだから、もう少したまってからにしよう」と思っていると、どんどん先延ばしになってしまいます。

そこで「机の上は、毎週金曜日に片づける」「雑誌は月末に整理する」などと、強制的にスケジュールに組み込んでしまうのです。そうすると、机が片づいていようがいまいが、雑誌がたまっていようがいまいが、深く考えずに自動的にやるようになります。

いちいち「備忘リスト」に書き込むまでもない。やるべきか、やらざるべきか迷って、余計なストレスをためこむこともありません。

面倒なこと、苦手なことほどパターン化させてしまうのが、ストレスをためずに処理する方法です。ほかにも「イヤだな」と思う作業をリストアップし、それぞれについてパターン化してみるといいと思います。

なお、ここでもカン違いされやすいので言っておくと、私が机の上を片づけたり部屋を整理しようと思うのは、「きれいにする」という目的のためではありません。きれいさの追求には限界がないので、やり出したらキリがありません。

私の目的は、あくまで、探し物をしないで済む環境を整えること。たとえば机の上が散らかっていると、必要な資料や文房具などを探すのにいちいち手間がかかってしまいます。この時間はムダ以外の何ものでもありません。

その点、よく使うものが常に同じ場所に置いてあれば、ストレスもかからないし、「どこに置いたっけ」と記憶を呼び覚ます労力も省ける。私が整理整頓にかける時間は、そのための時間投資なのです。

時間がありすぎるから、時間がなくなる

ここからは、企業に勤めるビジネスパーソンが、「時間割」をどう活用したらいいか、考えてみたいと思います。

「時間割」はあくまで個人的なもので、組織で仕事をしていれば、当然、チームや取引先の都合を優先しなければならないケースがあります。どうしても今日中に終えなければならない仕事があれば、いくら仕事は七時までと自分で決めていても、残業もやむを得ません。

でもだからといって、「会社員が時間割なんかつくっても無意味」ということにはなりません。自分の「時間割」を持つことは、労働時間を自分でコントロールしにくい若いビジネスパーソンにとっても、とても大切です。お話ししてきたように、制限時間を意識して仕事をするのと、時間感覚を持たずにダラダラと仕事をするのとでは、集中力がまったく違うからです。

先日も、ある知り合いが、新しい提案書を次週までにまとめることになって、「今週

はずっと徹夜だ」と語っていました。しかし私に言わせれば、この発想はちょっと違う。タイムリミットを設けずに、徹夜すればいい、朝までに終わらせればいいと思っていたら、おそらくいいアイディアは浮かんできません。睡眠不足と長時間労働で疲れ果てるのが関の山です。

逆に時間に区切りをつければ、人はその中でできることを真剣に取捨選択して考えるようになります。その仕事に一日五時間しかあてられないのであれば、五時間を最も効率的に使えるように頭を働かせるはずです。

私たちはよく「時間がない」という言葉を口にしますが、むしろ時間がありすぎるから時間がなくなるのです。

たとえば、夏休みの宿題。休みはまだいくらでもあるから「いつでもできる」とタカをくくって手をつけずにいると、一カ月などあっという間に過ぎてしまいます。そして八月末になって、今度は時間がないと焦りだして、徹夜して仕上げるか、親に泣きつく羽目になります。もし夏休みが一週間ぐらいしかなかったら、同じ量の宿題が出ていても、計画的に進めて、もっとラクに終わらせられたのではないでしょうか。

現実には、まだキャリアの浅い段階は、仕事も遅いでしょうし、上司に残業を命じられたら断れないので、残業をまったくするなというのは、無理なことかもしれません。

しかし、そうだとしても、若いうちから、「限られた時間の中で、いかに成果を上げるか」「どう工夫すれば速く終わらせられるか」を常に考えて仕事をすることは、その後の人生で時間資産を築いていくための、格好のトレーニングになります。

日本マクドナルドホールディングスCEOの原田泳幸さんも、以下のように述べています。

> 残業が多い人は、「仕事が時間を消費する行動に陥っていないか」を検討したほうがいい。仕事というのは、与えられた作業を終わらせることではなく、与えられた時間のなかで与えられた目的を達成することだからです。
>
> （『ここまでやれば、必ずできる』かんき出版）

一〇〇点が必要な仕事、八〇点でいい仕事

仕事では、常に一〇〇点満点を取る必要はありません。「八〇点でスピード勝負」の仕事も少なからずあります。しかし時間の制限を意識しないと、そういう仕事でも一〇〇点をねらってしまう。受験勉強で言えば、教科書を丸ごと暗記するようなものです。

もちろん、映像や音楽、文学作品を生み出すクリエイティブ系の仕事のように、スピードアップや効率化になじみにくい仕事もあります。しかし、一般に利益を追求するビジネスにおいては、仕上がりのクオリティは時間効率とセットで考えなければなりません。

そこで重要なのが、やるべき仕事で求められているレベルを見極めるということです。多少時間がかかっても一〇〇点満点の精度を求められる仕事なのか、それとも八〇点でいいから、スピードを重視すべき仕事なのか。この判断によって、処理はまったく違ってきます。

私がかつて携わった仕事で言えば、一〇〇点満点を求められたのがIRに関わる業務です。投資家に対して投資判断に必要となる企業情報を提供するわけですから、間違い

は許されません。数字にミスがあれば、投資家の信用を一気に失ってしまいます。特に最終的に数字をチェックする段階では、社員三人によるトリプルチェックを経たうえで、最終的に私が確認するようにしていました。

あるいは「顧客情報を絶対に漏らしてはいけない」といったシステムを構築するときも、一〇〇点満点でなければ意味がありません。締め切りはもちろん重要なのですが、最終ぎりぎりのところでは、スピードよりも精度を優先する判断をすべきです。

一方、八〇点でいい仕事の例としては、新規事業の立ち上げがあります。ここで問われるのは、まずスピードです。細かいところまで詰めていけば、やることはいくらでもありますが、そんなことをしていたのでは、他社に抜かれてしまいます。

重要なのは、八〇点でいいから、できるだけ早く立ち上げ、いち早く周囲に告知することです。足りない部分や新しいサービスは、後で追加・変更可能なケースがほとんどです。

もっと身近な例として、メールの処理にも二つのスタンスがあります。

たとえば重要な顧客に対する謝罪や、クレームへの回答のメールは、一〇〇点満点が

要求されます。内容に間違いがないのはもちろん、誤字脱字も許されません。すばやい対応が鉄則であるとしても、文面のチェックにあてる時間を省略すべきではありません。

逆に、ふだんからやりとりがある人への、ちょっとした報告や提案なら、少しぐらい誤字脱字があったり、文章がおかしくても、内容さえしっかりしていれば相手は気にしません。それよりも早くリアクションをとるほうが、相手の要求により的確に応えることになるでしょう。

私の感覚ではありますが、一〇〇点満点を求められる仕事というのは、そう多くありません。一般的な仕事のほとんどは、八〇点の仕上がりで、代わりにスピードが求められるものでしょう。どんな業界・仕事であれ、この点は共通していると思います。

「あいつは早く帰るヤツ」と思わせる

私は新人の会社員だった時代から、基本的に残業はしない主義でした。どうしてもやることがある場合、そのほうがより成果が上がると判断した場合は残業しましたが、そうでなければ早々に退社していました。

そうなったのは、私自身、集中力が続かないため、残業しても意味がないことがよく分かっていたからです。周囲の先輩を見渡しても、遅くまで会社に残ってやっている仕事には、かなりムダが多いように思えました。

また、会社に遅くまで残っていると、一緒に残った先輩や同僚と「じゃあ、一杯行くか」となることがあります。私は会社の人間同士で飲みに行くこと自体はイヤではなかったのですが、それがモチベーションアップにつながったり、ふだんは聞けない仕事についての話をじっくり聞けたりするのでなければ、意味がないと思っていました。

しかし、残業の後の飲み会で話すことは、とかく会社の愚痴になりがちです。あるいは最悪なのは、さして仕事があるわけでもないのに、周囲に気兼ねして帰れず、そのままズルズルと飲み会までつき合ってしまうパターンです。それよりは、早く帰って外部の人と飲むほうが、比べものにならないほど多くのリターンを得られます。実際、私もそうしていました。

とはいえ、誘われていつも断ってばかりでは、人間関係が気まずくなる可能性があります。そうならないためには、誘われるような場自体をつくらなければいい。そこで、

自分の予定を入れて、誘われる前に会社を出てしまうようにしていたのです。

究極的には、社内で「あいつは早く帰るヤツ」というイメージを持たれることが、円満定時退社のベストな方法だと思います。もちろん、そのためには、自分の仕事をきちんと済ませ、常に一定の成果を出していることは大前提です。

セルフコントロールが苦手な人でも

すでに述べたとおり、人とのアポイントメントを入れてしまうことは、仕事に強制的なリミットを設けるという点で最適です。

人と会うことで、会社にいるだけでは得られない、さまざまなメリットがあるのは言うまでもありません。そこから仕事の幅が広がることもあるし、新しいアイディアが浮かぶこともあります。

ただし、いわゆる異業種交流会とか名刺交換会といったものに出席しても、得られるものは少ないと思います。私も若いころは何回か出席したことがありますが、目的が明確ではないので、単に覚えのない名刺が増えるだけでした。

人脈づくりもまた投資です。人から何かを学びたいのであれば、自分のほうからも、その人に何かを提供できることが前提です。そうでなくて、会に出てみれば何か得るものがあるだろうくらいの受け身の態度では、時間がムダになるだけです。

強制的なリミットという点では、スクールやセミナーも効果的です。私の場合、サラリーマンになって二年目から、ＭＢＡのエッセンスが学べる、グロービスのビジネススクールに通っていました。当時は自分で時間をコントロールできる立場にありませんでしたが、「通っています」と宣言して、定時退社をしていました。

「いつか時間ができたらやろう」と思っているかぎり、「いつか」は永遠にやってきません。

好きなことを仕事にしているプロ野球の世界でさえ、シーズンが始まる前にはキャンプを張って強制的に練習せざるを得ない環境を整えます。もちろんチームプレーの練習という面もあるのでしょうが、キャンプがなく、完全に個々の選手のセルフコントロールに任せていたら、シーズンの始まりから十二分の力で活躍できる選手は少ないでしょう。

ましてや、私のような、意志が弱くてセルフコントロールの苦手な人間だったらなおさらのこと。そうせざるを得ない、動かないわけにはいかないという環境をつくって、自分で自分を追い込んでいくことが重要になります。

フレックスタイム制も使い方ひとつ

会社員は時間的拘束が大きいとはいっても、最近は、フレックスタイム制の導入により、以前に比べれば自由度はかなり高まっています。

しかし、これまでお話ししてきたように、今日は一一時に出社、明日は九時に、翌々日は午後一時にという生活では、生活のリズムが崩れ、なかなか生産性が上がらないでしょう。自分では自由な時間が増えたと思っていても、実は時間資産を食いつぶしているだけ。気づいたら、成果はダウン、収入もダウンということになりかねません。

フレックスタイム制のいいところは、たとえば朝、電車に乗り遅れそうになって必死に走ったり、五分遅刻しただけなのに上司に怒られたり、といったムダなストレスから解放されることにあります。

また、通っている英会話スクールで、水曜日の午前中はいい先生が教えてくれるという場合、「水曜日だけ午後出社」といった自分に合った「時間割」を組めるのも、フレックスタイム制のいいところです。

フレックスタイム制の「自由さ」とは、毎日を好き勝手な時間で過ごしていい自由ではなく、他人と同じパターンで仕事をしなくていい自由。そのように考えて、個々人のレベルでは、「時間割」に沿った「パターン化」した生活をしていくべきだと思います。

「仕事九〇分、休憩一〇分」で頭を活性化

学校では授業と授業の間に休み時間があるように、大人の「時間割」にも、休み時間が必要です。

頭脳労働は肉体労働と違って、「もう体が動かない」といった、はっきりした疲労のメッセージがないので、自然と長時間労働になりがちです。しかし、休みなしで頭を働かせつづけていると、自分ではがんばっているつもりでも、集中力が低下し、確実に効率が下がってきます。

限られた時間で大きな成果を上げようとするなら、頭を常にクリアな状態に維持しなければなりません。休み時間の確保も、重要な「時間投資」なのです。

私は、現在は、九〇分間働いたら一〇分間休憩するというパターンを基本的なサイクルにしています。一般に大人の集中力は、九〇分が一つの限界のようです。大学の講義は一コマ九〇分ですし、大学入試も一科目の制限時間はたいてい九〇分です。

もちろん「九〇分ももたない」という人もいるでしょうし、「自分はもっと長くても大丈夫」という人もいるでしょう。仕事の性質や個々の集中力の限界に合わせて、時間は自由に設定してかまいません。

ただ、ここでも大切なのは、「仕事一コマ＋休憩」という「パターン」をつくることです。仕事と休憩を同じパターンで繰り返していると、頭の働き方もそれになじんできます。最初は六〇分ぐらいで気が散ってしまうという人でも、「九〇分＋休憩一〇分」のパターンでやっているうちに、集中力を保てる時間が次第に伸びてくるものです。また、パターンに慣れてしまうと、休憩のあとなかなかエンジンがかからないということもなくなり、すぐ次の仕事に集中できるようになります。

ミーティングの時間も「一コマ単位」で

日常の仕事以上に「一コマ単位」で考えたほうがいいのが、会議（ミーティング）です。三時間も会議をしていたから、なんとなく仕事をした気にはなったものの、冷静に考えたら、何も成果が上がっていなかった、などという経験をした人は少なくないでしょう。もしその会議に一〇人の出席者がいたなら、費やした時間は延べ三〇時間。膨大な損失です。

私の場合、会議やスタッフとの打ち合わせも、一回につき最長九〇分（一コマ）で終わらせるようにしています。時間が来たら、まだ片づいていない案件があっても、いったん打ち切って仕切り直します。

メンバー全員があらかじめ終了時間を意識していれば、議題からそれたり、ムダ話が交ざることがありません。また議論が散漫になりかけても、「あと〇分しかないから」という暗黙の了解で、軌道修正が働きます。

先日、日本ファイナンシャルアカデミーの五人のメンバーと、経営戦略を練る集中ミ

ーティングのために合宿をした際も、九〇分一コマの時間割をつくりました。議題の重要度に応じて時間を割り振り、場合によっては二コマかけて議論するものもありました。トータル一〇時間に及ぶミーティングでしたが、きわめて密度の濃い議論をすることができました。

よい睡眠は日光を浴びて起きることから

生活のパターンをうまくつくれるかどうか、そのための鍵を握るのが「睡眠」です。私は大学受験のころから、勉強法と同じぐらい、睡眠のとり方にも興味を持ち、さまざまな本を読んでは、いろいろ自分で試してきました。以下に、そこから学び、現在も実践していることをご紹介します。

上手な睡眠のとり方のポイントは大きく三つあります。

第一は、朝、日光を浴びて起きるということです。人間の体内には「体内時計」と呼ばれる周期があります。太陽の光には、それを活性化させる力がある。光を浴びることで体内時計が「朝」を認識し、一日のスタートに向けて体が目覚めるのです。

一日は二四時間ですが、体内時計は一日二五時間と言われています。したがって、日光にあたらない生活をしていると、この「時差」によって、「起きて寝る」という周期が一時間ずつズレてきてしまいます。しかし毎朝、日の光にあたれば、ズレをリセットすることができます。

そこで私は夜、眠るときも寝室の厚いカーテンを閉めず、朝日が差し込むようにしています。東向きの部屋を寝室にできれば、一層効果的です。

日の出の時間は季節によって変わりますから、起きる時間は、夏は早く、冬は遅くなります。だいたい夏は朝五時ごろ、冬は六時ごろ、春と秋は五時半ごろと、「一人サマータイム」を実践しています。

私が日の出とともに起きていると言うと、「偉いですね」「よく眠くありませんね」と感心されます。概して「早起き」には、「苦行」イメージがあるようです。諺で「早起きは三文の得」とあえて説くのも、裏返せばそれだけ「早起きは辛い」と思われているからかもしれません。

「早寝早起き」から「早起き早寝」へ

私が早起きしても辛くないのは、夏なら午後一一時、冬なら一二時に就寝と、現代的に言えば「早寝」で、睡眠時間を十分に確保しているからです。夜眠れないという経験はまったくないし、朝寝坊もまずしません。

そう言うと今度は、「そんなに早い時間に寝られない」という反応が返ってくることが多いのですが、そのような人には発想の転換をおすすめします。

たしかに、朝早く起きるために夜は早く寝なければならない、と考えると、プレッシャーになります。考えすぎて眠れなくなることもあるでしょうし、早寝するために夜の楽しみの時間を犠牲にするなんて……と、ストレスに感じる人もいるかもしれません。

そこでそういうときは、「夜はどうでもいいから朝は早く起きる」ところから始めてみればいいのです。最初こそ寝不足で少し辛い思いをするかもしれませんが、就寝時間にかかわらず早く起きる生活を続けていると、夜は必然的に早く眠くなります。それに合わせて就寝時間を早めていけば、自然にリズムが確立します。

早起きに必要なのは、「早寝早起き」ではなく、「早起き早寝」という発想なのです。

目覚まし時計は脳によくない

もちろん、早起きは出張先でも同じです。私はホテルに泊まる際も、カーテンを開けて眠るようにしています。おかげで朝になると日の光が差し込み、家にいるときと同様、自然に目覚めることができます。

特にホテルは遮光カーテンなので、完全に閉めると光が入らず、朝になっても気づきません。外から見えるのが気になる場合は、レースのカーテンだけ閉めたり、遮光カーテンを少しだけ開けて、枕元に光が入るようにするなどの工夫をしています。

これは海外に行ったときも同じで、特に時差のある国で効果的です。私は時差ボケ対策として、飛行機に乗ると、まず腕時計を現地時間に合わせてしまいます。そして、機内でも、現地の時間に合わせて寝起きするようにするのです。現地が深夜なら寝てしまいますし、現地が昼間なら、機内が暗くても起きて、本などを読んだりしています。

こうして十数時間を過ごすと、現地に着いたとき、体は現地の時間になじんでいます。さらにホテルでカーテンを開けて、日の光で起きるようにしておくと、翌日もまったく

時差ボケを感じません。

太陽の光に合わせて起きられる体をつくってあるので、どこに行っても生活のリズムを乱すことなく、活動的に過ごすことができるのです。

また私は、起きるのに目覚まし時計を使いません。早い時間の飛行機に乗る場合などのように「絶対この時間に起きなければ」という日はリスクヘッジのためにかけますが、その場合でもたいてい、かけた時間より一〜二分早く目が覚めてしまいます。「○時に起きる」と意識して寝ることで、人間の体内時計は思う時間に起きられるようセットされるようです。

そもそも目覚まし時計で起こされるのは、あまり気持ちのいいものではありません。気持ちがよくないだけではなく、医師の吉田たかよしさんによれば、目覚まし時計の音の刺激で起こされるのは、「脳にとっては望ましい起き方」ではないそうです（『「脳力」をのばす！　快適睡眠術』／PHP新書）。目覚まし時計の音は、コンディションに関係なく脳を急激に覚醒させるので、脳の神経細胞や血管に負担がかかるとのこと。

吉田さんも「朝、日の出とともに明るくなり目が覚める」ことこそ、人間本来の起床

方法であると説き、「光の刺激で目覚めること」をすすめています。

「ビフォア9」の使い方で人生が変わる

先日、仕事でアメリカに行って、非常に驚いたことがあります。朝の五時半に起きてホテルのジムに行ったところ、すでにほぼ満員の状態だったのです。日本のスポーツジムなら、まだオープンすらしていない時間です。

最近、日本でもようやく「ビフォア9（午前九時前）」の使い方が重要と言われるようになりましたが、アメリカのビジネスパーソンにとっては、早朝の出社前の時間にトレーニングをしたり、あるいはブレックファースト・ミーティングを行ったりすることは、もはや常識のようです。五時半に満員になっているジムを見て、私はアメリカ人のとてつもないパワーに圧倒される思いでした。

日本ではまだ多くの人が、朝の時間を食事やシャワーや出勤などで慌ただしく過ごしています。しかし、睡眠をたっぷりとって頭がクリアになった時間帯を、それだけで過ごしてしまうのは本当にもったいない。

「ビフォア9」は、私のように読書の時間にあてるのもいいですし、電話などに邪魔されることもないので、集中が必要な仕事にも向いています。あるいはトレーニングにあてれば、頭はますます冴えてきて、その日一日をアクティブに過ごすリズムをつくれます。散歩をして朝の空気を吸うだけでも、相当のリフレッシュになります。

しかも、こうして「ビフォア9」を活用すれば、夜は早めにすっきりと仕事を終えることができます。そうすれば、人と会ってネットワークを広げるなど、「アフター5」や「アフター7」にしかできないことをして、夜の時間もまた有効に活用することができます。

朝、一～二時間早く起きることは、人生を変えると言ってもけっしておおげさではないほど、大きな資産を生んでくれる「時間投資」なのです。

午後の成果を左右する「一五分昼寝」

よい睡眠の第二のポイントは、昼寝の時間をとるということです。

朝、太陽の力ですっきり目覚めても、フル回転で稼動していれば、午後には次第にパ

ワーダウンして眠くなってきます。こんなときは無理して起きていないで、昼寝をすべきです。私自身、午後の活動を充実させるため、毎日の昼寝は欠かせません。
昼寝についても、最近はさまざまなことが分かってきました。たとえば医師の粂《くめ》和彦さんは、次のように述べています。

午睡を上手にとることで、午後の仕事の効率を上げて気持ちよく働くことができるようです。大切なのは、気持ちいいからといって長時間眠らないことで、一五分から長くても三〇分までが良いそうです。それ以上長く眠ってしまうと、睡眠段階が深くなりすぎて、起きたあと完全に覚醒して作業効率が元通りになるまでに時間がかかってしまいます。
（『時間の分子生物学』講談社現代新書）

私も、昼寝の時間は一五分と決めています。実際、椅子に座ったまま一五分ほど目をつぶるだけで、眠気がとれて頭がすっきりします。気持ちがいいからといって寝すぎてしまうと体まで眠ってしまう感じがして、次の仕事にすぐ取りかかれなくなるのですが、

一五分であればそんなこともありません。

時間帯も重要で、理想は昼食後すぐに寝ることです。ちょうど胃腸に血液が行って眠くなるころですから、すぐに眠れます。逆にまずいのは午後三時以降で、これ以降に眠ると体内時計がずれ、夜、眠りにくくなります。

また眠りすぎを防ぐため、私は昼寝の前に必ず、一五分のタイマーをセットするようにしています。これなら寝過ごす心配はありませんから、安心してぐっすり眠れます。朝の目覚まし時計は不快ですが、一五分程度の睡眠なら、もともと眠りのレベルが深くないので無理に起きたという感じはなく、目覚めも悪くありません。

さらに言えば、眠る前にコーヒーを一杯飲んでおくのも効果的です。カフェインの覚醒作用は、体に取り込んで三〇分後ぐらいから効きはじめます。したがって昼寝の前に飲んでおくと、ちょうど起きるタイミングで効きはじめるので、よりスッキリ感が増します。

昼食を食べたら、コーヒーを一杯飲んで、オフィスの席でも喫茶店でもいいので一五分だけ目をつぶる。会社勤めの人も、これを毎日の時間割の中に組み込むだけで、午後

の時間効率が大きく変わってくるはずです。

週末も平日と同じ時間に起きる

よい睡眠をとる第三のポイントは、週末もパターンを変えない、ということです。

金曜日まで仕事に忙殺されていたら、せめて週末ぐらいはゆっくり寝ていたいという気持ちは分かります。来週もハードになりそうだから、寝だめをしておきたいという人もいるでしょう。しかし、人間の体はそもそも寝だめができないので、朝寝坊をしても効果がありません。効果がないどころか、週末の朝寝坊は、実はデメリットのほうが大きいのです。

最大の問題は、朝寝坊によって体のリズムが壊れてしまうことです。一度壊れてしまった体のリズムは、すぐには元に戻りません。当然、月曜日は起きるのが辛くなり、一日中ボーッとしたまま過ごすことになります。

私も会社員になりたてのころは、土日に昼ごろまで寝ていたことがありました。しかし、どんなに寝ても疲労感が抜けず、気分がスッキリしない。寝足りないのかと思って

さらに寝ると、ますますだるくなる。もちろん、そういうときの月曜日は最悪でした。それならばと、週末もふだんどおりに起きて体を動かしたりしてみたら、なぜか体が軽い。月曜日の辛さもない。そこで私は、体にとって重要なのは睡眠時間の長さではなく、リズムであるということに気づいたのです。

前出の吉田さんも、次のように述べています。

朝寝坊は、その場は実に気持ちがいいものですが、すぐにしっぺ返しが数倍になって返ってきます。週末に朝寝坊をすると体内のリズムがすっかり狂ってしまうため、月曜の朝は地獄のようにつらい通勤通学が待ち構えているのです。これは、「ブルーマンデー症候群」と呼ばれていますが、実際には月曜日だけでは完全に回復しないことが少なくありません。

週末の二日間にわたり体内時計を大幅にずらしてしまうと、月曜の一日だけでは完全にリズムを戻すのは困難です。場合によっては、直すのに最大で四日くらいかかることもあります。この場合は、まともに過ごせるのは金曜日の一日だけという、

何とももったいない一週間になってしまいます。

（前掲『「脳力」をのばす！ 快適睡眠術』）

「寝ることが週末の最大の楽しみ」と思っている人も、ぜひ一度、平日同様に起きてみてください。平日が極度の睡眠不足でよほど疲れているなら別ですが、そうだとしても、プラスするのはせいぜい一時間まで。それだけで体の調子がかなりよくなって、月曜日を快適に迎えられることに気づくと思います。

暗記作業は寝る前にするのがベスト

睡眠との関連で言うと、記憶作業は寝る前にするのが効果的です。

記憶と睡眠には大変深い関係があります。脳は睡眠中に、起きている間にインプットされた情報を整理し、残すべき情報を記憶として定着させる作業をしています。

特に寝る直前にインプットされた情報は、脳が重要なものだと判断して、記憶に定着させる働きがより強くなると言われています。

そこで私は、試験などで大量の暗記が必要になったときには、寝る前の一時間を勉強にあてるようにしてきました。

寝る直前に暗記し、翌朝起きたら、どれぐらい覚えているかをチェックし、忘れていたことは、その場でもう一度記憶する。夜になったら再度復習するとともに、新たな知識をインプットする。この作業を何日か繰り返せば、ほぼ記憶は完璧になります。

これとは逆に、朝の時間を新しく記憶する作業にあててみたこともあるのですが、昼間はいろいろな情報にさらされるせいか、夜になると忘れてしまっていることが多い。やはり夜にインプット → 睡眠 → 朝に復習、というパターンが最も効率的でベストだと思います。

寝る前に暗記作業を行うと、暗記した事柄がよく夢に出てきます。その日に印象的だった出来事が、夢に出てきた経験のある人は多いと思いますが、これも脳が睡眠中に情報の整理をしていることと関係があると言われています。

暗記したことが夢に出てくるというのは、いわば夢の中でも勉強しているということで、「一石二鳥」感があります。それも私が寝る前に暗記作業をする理由の一つです。

休日は「しないこと」を決めておく

休日も平日と変わらない時間に起きるとは言っても、休日にはやはり休日なりの過ごし方があります。私の場合、平日は「すること」を決めているのに対し、休日は「しないこと」を決めています。それを意識するだけでも、一週間にメリハリがつき、よいリフレッシュになります。

休日に「しないこと」とは、「仕事」です。具体的には、人とのアポイントメント、スタッフとのミーティングなど、自分の都合でスケジュールを変えられない予定は、休日には入れません。休日は家族と過ごす時間と決めており、一緒に家事をしたり、買い物につきあうなど、家族の都合に合わせて動けるようにしておきたいからです。だから、休日にオフィスに出かけていくこともしません。

本を読んだり、原稿を書いたりするのは、始めるのも切り上げるのも自分の意志でコントロールできるので、休日でも積極的にやっています。ビジネスに関係があるという意味では、これらも「仕事」と言えなくもないのですが、私の意識では、これらは「仕

事」というよりは、「自己投資」です。

前にもお話ししたように、知識労働は、肉体労働と違って、やりはじめればキリがありません。残業と同じで、「平日に片がつかなくても、休日出勤すればいいや」と思っていたのでは、労働の時間密度を高めていくことはできません。

休日に「しないこと」を決めておくのは、自分なりのリミットを定めて、平日の生産性を高めるための工夫の一つでもあるのです。

第四章

「Doing More With Less」の哲学

モットーは「Doing More With Less」

私には、「Doing More With Less」というモットーがあります。日本語に訳せば「少ない労力でより多くの成果を」という意味です。この本のテーマである「時間にレバレッジをかける」という発想の根本にあるのも、この「Doing More With Less」の精神です。

私はこれを、単に自分に言い聞かせるだけではなく、シールにしていろいろなところに貼っています。パソコンや家のデスクにも貼っているし、名刺の裏にも入っています。著書の裏表紙にも入れました。

そして、この言葉を目にするたびに、「時間を有効に使っているか」「どこかにムダはないか」と自分自身に問いかけています。どんなに立派な目標を設定しても、絶えず目で確認し、意識づけしていかなければ、人間はすぐに忘れてしまうからです。

こういうことをしているのは、私だけではありません。たとえばワタミフードサービスの渡邉美樹《みき》社長も、次のように述べています。

私がいつも手帳と一緒に持ち歩いているカードには、「二〇二〇年に三〇〇〇店舗達成」「農業で売上一〇〇〇億円」などと目標がずらりと書いてあります。私はこれを毎日二回は見返します。

（前掲『時間とムダの科学』）

一〇分の一の時間で仕上げる方法を考えよ

「Doing More With Less」を実践するために必要なのは、ドラスティックな発想です。たとえば、今抱えている仕事にかかる時間を半分にできないか、いっそ一〇分の一に短縮する方法はないか、と考えるのです。

もちろん小さな改善を積み重ねて、五分、一〇分を節約していくコツコツ型の発想も大事です。しかし、そこからは、現状の延長線上にある工夫しか生まれません。

これに対し、「一〇分の一に短縮する」のは、やり方を根本的に改めないかぎり、もっと言えば、何かをバッサリと切り捨てないかぎり不可能です。それには、これまで続

けてきた何をやめるべきなのかを見極める、強靭な選択力と決断力が要求されます。そしてギリギリのところまで追い詰められ、その力が発揮されるとき、ドラスティックな変化が起こって、飛躍的に成果が上がるようになるものなのです。

経営学の巨人P・F・ドラッカーも、「やめること」の重要性について、以下のように述べています。

する必要のまったくない仕事、時間の浪費である仕事を見つけ、捨てなければならない。すべての仕事について、まったくしなかったならば何が起こるかを考えればよい。何も起こらないが答えであるならば、その仕事はただちにやめるべきである。

（『仕事の哲学』ダイヤモンド社）

「人に任せる」は究極の効率化

時間を一〇分の一に縮め、同じ、もしくはそれ以上の成果を上げる……そんなおいしい話があるはずがないと思う人もいるでしょう。

しかしこれは、実は多くの人が経験していることです。

会社員の場合、経験を積めばポストが上がって、部下がつきます。そうしたら、あなたがこれまで抱えていた仕事を部下に任せられるので、あなたはマネジメントをするだけで、それまでと同じ成果を上げられることになります。ポストが上がれば、当然、収入もアップします。

さらに部下が優秀なら、あなたが何もしなくても、もっと成果が上がり、またポストが上がって、収入もアップということになります。

経営者も同じです。社長一人で企画も営業も経理もすべてやっている会社が、従業員一〇人の規模にまで大きくなれば、社長のいわゆる「実務」の時間は一〇分の一以下になる一方で、成果は数十倍、数百倍も上がっているはずです。

ここでの鍵は「人に任せる」ということです。「ムダなことをしない」に加えて、「自分でやらない」ことは、時間を縮めて成果を上げるための、きわめて重要なポイントです。

優秀な人の成果が頭打ちになる理由

ここで意外につまずいてしまうのが、いわゆる優秀な人、能力の高い人です。こういう人は、なんでも自分でできるので、他人には任せられないと思いこんでしまう。能力が高いことそれ自体はすばらしいのですが、一人で仕事を抱え込んでいると、どうしても効率は低下します。成果も収入もある程度は上がるけれど、やがて頭打ち、なのに労働時間は永遠に減らないという事態に陥ってしまうのです。優秀な人ほど、「自分でやらないこと」を見つけ出す勇気が必要と言えます。

特に経営者の中には、「自分がすべてやらなければ」と考えている人が少なくありません。部下に任せるのが不安で、常に現場にいて細かい指示を出さなければ気が済まない。しかし、実際には、社長が一週間ぐらいいなくても、会社はふつうに回っていくものです。

一方、私の周囲で「この人はうまくやっているな」と思える人というのは、必ずしも、ものすごく能力が高いというわけではなかったりします。私自身もそうなのですが、自分ができないことや不得意なことがよく分かっている分、それを人に任せることができ

る。あるいは、人に任せざるを得ない。代わりに自分が得意なことは一生懸命やる。それが結果として「選択と集中」のよい効果をもたらすのです。

自分のKSFを見つけているか

経営戦略の用語で、事業や業界においてカギとなる成功要因のことをKSF（Key Success Factor）と言います。「やらないこと」を選択する力とは、「KSFを見つける力」と言い換えることができます。

働いた時間ではなく成果が評価される知識労働の時代においては、個人レベルの仕事においても、KSFを見つける力が強く求められています。

たとえば大学受験で、真面目で学校の成績のいい「秀才」が不合格になる一方で、大して勉強もしていない生徒があっさり合格してしまうことがあります。これは、KSFを見つけているか否かの差です。

受験のKSFとは、まず「過去問」です。

ワインアドバイザー試験のところでもお話ししたように、受験においては、過去問を

分析し、勉強する範囲を絞り込むのが合格の鉄則です。それを、真面目な人は、教科書を全部覚えようとしたり、また、「自分は文系だけれど、いつか必要になるかもしれないから、物理の勉強もしておこう」などと、合格に関係のないところまで手を広げたりするので、結局、どれも中途半端になって失敗してしまいます。

受験のもう一つのKSFは、「合格最低点ねらい」です。合格には一〇〇点満点は必要ありません。六割なり七割なり、最低ラインさえクリアできれば合格はできます。

過去問の中には、たまたまその年だけ出題された、重箱の隅をつつくような難問もあります。また出題されるかもしれないと不安になって、ついそういう問題ばかりを見つけて、時間をかけて勉強してしまいがちですが、それは一〇〇点をねらう勉強。合格には必要ありません。

本番の試験でも、見たこともない難問は、当然出てきます。そのような問題は「捨て問」と割り切って、できる問題だけを確実に解くのが、合格の鉄則です。それを、完璧主義の人は何とかして解かなければと焦ってしまうので、失敗してしまうのです。

ビジネスも「過去問」と「合格最低点ねらい」で

「過去問」と「合格最低点ねらい」は、そのままビジネスのKSFでもあります。

ビジネスの過去問とは、たとえば過去の事業の成功例や失敗例、あるいは上司や先輩の仕事のやり方です。これらを参考にすると、自分でゼロから考えるよりもずっと短時間で、成功のヒントを得ることができます。

また、仕事は、必ずしも一〇〇点が必要なものばかりではありません。実際にはむしろ、八〇点で合格の仕事のほうが多いでしょう。だとすれば、一〇〇点満点をねらうことに時間をかけるより、八〇点の仕事をより多くこなすことに時間を割くべきです。

ビジネスの過去問を学ぶのに格好のテキストが、書店に並ぶ「ビジネス書」です。私の前著『レバレッジ・リーディング』は、ビジネス書の読み方のKSFを解説した本です。

本の中では、どのようなビジネス書を読んだらいいのか、一冊の本のどこを読んだらいいのかを、私自身の経験を踏まえて解説しました。そもそも扱う対象をビジネス書に絞っている点、「読書」ではなく「投資」という観点のみに絞った本の読み方である点

など、本づくりそれ自体が、ＫＳＦを意識したものになっています。ぜひ本書とあわせてお読みいただければと思います。

なぜ意思決定は即座でなければいけないか

ムダなことを切り捨て、自分でなくてもできることは人に任せ、最後に残る重要な仕事は「意思決定」です。とりわけ経営者にとっては、意思決定こそが唯一にして最大の仕事と言ってもいいでしょう。

私の場合、取引先からの打診であれ、部下からの相談であれ、「返答は即座に」がモットーです。

どんな場合であっても、意思決定は速くなければ意味がありません。判断を求められてすぐに答えを出さないことは、答えの内容にかかわらず、状況を悪化させるだけです。

周囲の経営者を見ても、重要な局面においては、みな、非常に速いスピードで判断しています。それは、リスクが高く、下手をすれば大失敗するようなケースでも変わりません。悩むことによる時間の損失のほうが大きいと分かっているからです。

ただし、速やかに意思決定したからと言って、行動もすぐに始めなければならないわけではありません。

もちろん、やると決めながら、単にずるずると行動を引き延ばしているのは問題外。これはまったく時間のムダです。

しかし、行動には段取りが必要です。意思決定によってゴールを定めたら、そこに到達するための最短ルートを探すことに、必要なだけの時間をかけるべきです。それは将来のリターンにつながる時間投資であって、けっしてムダな時間ではありません。

成功している経営者を見ても、意思決定は非常に速く、行動はじっくり段取りを組んでから、という人が多いように思います。なかには「とにかく動く」というタイプの人もいますが、段取りなしに始めるとは、後になって一からやり直すリスクを負うということです。

最悪なのは情報不足のまま迷い続けること

成功している経営者が意思決定を速く行えるのは、事前にさまざまな情報をインプッ

トしているからです。経営的な知識もそうですし、具体的な数字や取引先の社内情報などもそうです。裏返せば、常に重要な情報をインプットし、いつでも即、決断できるようなレベルに自分を維持できるからこそ、経営者として成功しているとも言えます。

もし意思決定を求められた場面で即座に判断ができないなら、それは情報が不足しているからだと自覚して、「その場で判断をしない」という意思決定をすべきです。それをせずに、情報不足のまま迷い続けて、よい結論が出ることはありえません。

たとえばある会社から、突然ヘッドハンティングの声がかかったとします。「私の会社に来れば、年収がこれだけ上がります」と言われても、その会社、その業界についての情報を持っていなければ、意思決定は無理です。

それならば、その場では答えを出さないと決め、情報収集をすればよいのです。まったく別の業界の場合ならば、その業界が有望かどうか、誘ってくれた会社が業界の中でどのような位置にいるのかといった情報は不可欠でしょう。

そして情報が十分集まったら、それをもとに即座に判断する。判断にかける時間は一日あれば十分で、一週間も悩むのは時間のムダです。一週間悩んだからといって、状況

が変わるわけではありません。

これは物を買うときも同じです。たとえば会社で新しいソフトを購入しようというとき、いくつもの製品の情報を集め、比較検討する必要はあります。比較に時間をかけることは重要ですが、最後に決めるときに時間をかけるのはムダです。

なぜ判断に時間がかかるのか分析を

本来、情報さえ十分集まっていれば、決断は速やかにできるものです。もしそれができないとすれば、それは、根本的なところでゴールが明確になっていないからです。

ヘッドハンティングの例で言えば、「自分の人生は、このようでありたい」というゴールが定まっていなければ、どんなに情報を集めても判断はつきません。

ソフトの購入にしても、何のために新しいソフトが必要なのか分かっていなければ、市販されているすべてのソフトの情報を集めたとしても、買うべきソフトは見つかりません。

あるいは、失敗が「怖い」という感情の問題が原因になっているケースもあるかもし

れません。

いずれにせよ、意思決定に時間がかかるという人は、ぐずぐずと判断を先延ばししたままにするのでなく、自分がなぜ決断できないのか、その原因を分析する必要があります。

第五章

時間密度を高める「チリツモ」技術

成果を前提にした「チリツモ」効果

この章では、私が日常の行動の中で実践している、時間密度を高めるためのテクニック的なことについてお話ししたいと思います。

本書の冒頭で、五分、一〇分を節約するテクニックだけを知っていても、大きな成果は出せないとお話ししました。しかし、その「チリツモ効果」はやはり無視できません。

また、ここでご紹介するのは、単にかかる時間を減らす「節約」ではなく、あくまで「投資」、すなわち「時間資産」を増やして「成果」を上げることを前提にしたテクニックです。読者の方も、ぜひそのことを意識しながら採り入れてほしいと思います。

一冊一万円の雑誌でも全部を読むな

まずは雑誌の読み方です。

前著『レバレッジ・リーディング』にも書きましたが、本と並んで、ビジネス誌も私の重要な情報源です。たとえば私は、ずっと前から「日経ビジネス」を定期講読してい

ます。かなりボリュームがあるので、全部を読もうとすると相当の時間がかかります。

せっかくお金を払って買ったのだし、勉強になるからと、全部を読まなければもったいないという人がいます。しかし、雑誌の中には、自分とはまったく関係のない記事もあります。それまで読むのは、逆に時間と労力がもったいないと思います。私は一冊のうちの何十ページも読むこともありますが、号によっては数ページしか読みません。

お金は貯めることも稼ぐこともできますが、時間は取り返しがつきません。一〇〇〇円の雑誌を、もったいないからと全部読んで、二時間かかったとします。でも必要なところだけ読むのであれば、一〇分で済む。それによって得られる一時間五〇分は、一〇〇〇円では買えません。たとえ一冊が一万円の雑誌であっても同じことです。

ただし、そのような読み方には自分にとって必要な情報だけを見分ける選択力が求められます。特に雑誌は、とりあげるテーマが本のようにピンポイントではないので、記事の取捨選択がより重要になります。

私は、具体的には、目次に目を通したあと、ページをざっと繰って、タイトルとサブタイトルだけ流して読みます。そのとき、気になるページの端を折っておくか、あるい

はそのページを切り取っておくかします。これにかかる時間はほんの数分です。

そして、選んだ記事を読むのは隙間時間と決めています。

日常の生活には、必ず隙間時間が存在します。電車やタクシーに乗っている間の移動時間のみならず、待ち合わせで相手がちょっと遅れる場合もあるでしょう。そのような場合のために、読みたい記事を持ち歩いていれば、わずかな時間でもムダに過ごさずに済みます。わざわざそのための時間を設けなくても、雑誌を読むのは大体それでカバーできます。

新聞についても同じです。私は日本経済新聞と朝日新聞を取っていますが、もちろん全部読むことはありません。全体にざっと目を通した上で、限られたところだけを読むようにしています。

ちなみに、読み終わった雑誌は、必要なページを切りとるかメモした後、容赦なく捨てます。読み終わったら即座に捨てるようにしているのですが、定期的に読んでいるものだけでも何誌かあるので、気をつけていてもすぐにたまってしまいます。そこで、前にもお話ししたように、一週間に一回、雑誌を捨てる日をスケジュールに組み込んでい

ます。

読もうと思って切り取ったページも、大雑把なカテゴリーに分け、クリアファイルに放り込んでおくだけ。隙間時間に読んだら、基本的には捨ててしまいます。必要な情報だけは簡単にメモしておき、記事そのものを整理してファイリングしたりはしません。

名刺のベストな整理法は「捨てる」こと

雑誌にかぎらず、私は、究極の整理法は「捨てる」ことだと考えています。

私にとって、掃除や整理の目的は、「探しものをする時間をなくす」ことに尽きます。資料の山を探す、引き出しを探す等々、ほとんどの「探しもの」は、要らないものの中に必要なものが紛れこんでしまうことから生じます。だとすれば、その一番の解決策は、要らないものを捨てること。しかも「捨てる」のに時間はかかりません。

したがって、私は名刺も整理せずに捨てます。

毎日のランチ、ディナーその他、日々いろいろな人に会っていると、名刺はどんどんたまっていきます。以前、ローロデックス（回転式のホルダー）を使っていたこともあ

るのですが、いちいちホルダーに入れるのが面倒くさく、すぐにいっぱいになってしまうので、やめました。

今はデスクのわきに、金融関係、仕事関係、メディア関係、友人関係、それに飲食関係など、大雑把なジャンルに分け、剝き出しで積んであるだけです。山が積み上がってきたら、捨てる。あまり大きな声では言えませんが、ざっと見て、顔が思い浮かばなければ、その名刺は捨てます。

その中に重要な人の名刺があったとしても、本当に重要なら必ずまたどこかで会えると思っています。また、先方が私を必要としているのなら、先方から連絡してくれるでしょう。実際、このやり方にしてからずいぶん経ちますが、トラブルが生じたことは一度もありません。

ノートPCより便利な「リモートメール」

雑誌の切抜きを読むのに加えて、外出中の隙間時間によくするのは、メールのチェックです。これには、携帯電話向けの「リモートメール」というサービスが絶対おすすめ

です。

私は出かけるときにはノートPCも携帯していますが、PCはどうしても立ち上げに時間がかかるし、いつでもどこでも広げられるわけではありません。

「リモートメール」は、ｆｏｎｆｕｎ（旧ネットビレッジ）という会社が展開している、PC宛のメールを携帯電話でチェックできるサービスです。料金は月額二一〇円。

PC宛のメールを携帯に転送して読んでいる人も多いと思いますが、それとの一番大きな違いは、携帯からサーバーにアクセスすると、メールの件名だけが表示される仕組みになっているので、必要なメールだけ受信できるという点です。PCのアドレスを使って、返信や新規メールの送信ができるのも便利です。添付ファイルの中も見ることができます。

もっぱらメールチェックのためにノートPCを持ち歩いているという人であれば、このサービスで十分代用できます。また、一日中外回りの日でも、メールをチェックするために、いったん会社に戻るといったことも不要になります。

有名なサービスなのであえてお話しするまでもないと思っていましたが、知人に話し

てみると案外知らない人が多いので紹介してみました。詳しい利用方法や申し込みは、「リモートメール」で検索すればすぐ分かります。

テレビはリアルタイムで見るな

テレビにも、投資効果の高い見方とそうでない見方があります。

基本的に、私はテレビをリアルタイムでは見ません。見ると決めている番組はいくつかありますが、それらはすべてＨＤレコーダーに録画しておいて、不要なシーンをカットしながら、一・五倍速で見ます。

たとえば朝は、マーケット情報をチェックしたいので、テレビ東京の「Ｎｅｗｓモーニングサテライト」を見ています。しかし一時間の番組の中には、当然ながら、私には興味のない話題や情報があります。ＣＭの時間もあります。

必要なところだけを見ようと思っていても、テレビというものは、つけていると、ついダラダラと見てしまいがちです。たとえほかのことをしながらでも、朝のクリアな頭を、一時間もテレビに向けるのはもったいない。でもこれを録画して、直後に必要な箇

所だけを一・五倍速で見れば、わずか一〇分程度で済みます。朝の貴重な時間帯に、五〇分の時間資産を生み出せるわけです。

また、私はドラマの類は見ないことに決めています。話題になったものだけ、情報収集の意味で、録画したものを駆け足で見る程度です。

けっして嫌いではないのですが、連続ドラマなどの場合、必要なところだけ抜き出して見るというわけにはいかず、時間の消費量が半端ではありません。おもしろい内容なら、なおさらです。その意味では、自分の意志の弱さを知っているので、近づかないようにしている、と言うのが正確なのかもしれません。

私は、テレビ自体は、とても有益なメディアだと思っています。情報が集約され、しかもビジュアルで表現されるので、短時間で最低限のことを理解するには最適です。たとえば経済に関することなど、本や新聞では理解できなかったものが、テレビで分かったりすることもあります。

ただテレビで問題なのは、時間の使い方が受動的になってしまうということです。リアルタイムで、ズルズルと見てしまうのは完全に「パッシブ・ウォッチング」です。

しかし、録画して、見るべき部分を取捨選択できるようにすれば、自分で時間をコントロールできる「アクティブ・ウォッチング」に変えることができます。

これは、本を重要なところに絞って読む「レバレッジ・リーディング」の方法論をテレビに応用した「レバレッジ・ウォッチング」と言ってもいいでしょう。

機器のマニュアルは必ず読む

携帯電話、パソコン、デジカメ、MP3プレーヤー等々、私たちの生活はさまざまな機器に囲まれています。機器にはそれぞれ、マニュアルがついています。

そんなマニュアルをいちいち読むことこそ、ムダな時間の使い方の最たるものと考える人は多いでしょう。しかし私は、こうした機器のマニュアルを、必ず全部読むことにしています。携帯電話を買い替えれば、あの分厚いマニュアルも一通り目を通します。

なぜ、そんな「面倒くさい」ことをするのか。

それは第一に、使える機能があるのに使わないのは、買うのに要したお金がもったいないだけでなく、時間資産の点でも損失だと思うからです。

たとえば、携帯電話のリダイヤル機能。マニュアルなど読まなくても、誰もが当たり前のように使える機能ですが、もしこれが、マニュアルを読まなければ分からない機能だったとしたらどうでしょう。いちいち何ステップも要して相手の電話番号を探し出さなくてはいけなくなりますから、知っている人と比べて、大変な時間の負債をかかえることになります。

これは極端な例だとしても、知らないことで多くの時間をロスしている機能は、ほかにもたくさんあります。

マニュアルを読む理由の第二は、使っているうちに機能を知りたくなり、あらためてマニュアルを読むことのほうがはるかに面倒だからです。

機能を使いたいと思ったそのときに、いちいちマニュアルを参照していたのでは、それだけでストレスがたまります。また、機器を買ってしばらく時間が経っていたら、マニュアルがどこかにいってしまっていて、探すのに時間がかかるかもしれません。

つまりマニュアルを読んでおかないと、それよりもはるかに面倒くさいことが、その機器を使っている間中、続く可能性があるわけです。

マニュアルを全部読むと言っても、一字一句読むわけではなく、基本は雑誌の読み方と同じ。全体の見出しや小見出しをザッと見て、使いたいと思う機能のページの端を折っておく。そして、その場で一度、実際に試してみる。そうすれば、もう次からは使えるようになります。こういうものは、一度操作してみればだいたい忘れないものです。使っているうちにもっと詳しく知りたくなっても、一度目を通してチェックしてあるので、調べたい箇所はすぐ見つかります。

この一連の作業にかかる時間はせいぜい一時間程度。この投資を惜しんだことでかかる時間の負債は、一時間どころではありません。だとしたら、読んだほうが絶対に得ではないでしょうか。

電車に乗らないという生き方

私は最近、ほとんど電車に乗りません。ちょっとした移動には、もっぱらタクシーを利用することにしています。

その理由はやはり、時間です。

電車に乗るには、まず駅まで歩く必要があります。それに電車の到着までにも時間がかかる。乗車中も、混んでいれば何もできません。空いていればiPodを聞いたり、本や雑誌を読むぐらいのことはできます。座れれば、メモを書いたり、ノートPCを広げることもできなくはありませんが、スペースが狭いし、隣の人に見られてしまうおそれがある。携帯電話で通話することもできません。

その点、タクシーなら、これらのことがすべてできます。人に聞かれたくない難しい商談も可能です。一人になってものを考えたいときや、ちょっと疲れを取りたいときにも向いています。

もちろんコストがかかることですし、価値観の問題でもあるのですが、私は会社員だったころからこのように考え、神奈川県内の自宅から会社のある品川まで、タクシーで通勤していたこともあります。

当時の私の自宅から会社までは、電車だと、三本を乗り継いで約一時間かかりました。しかも朝のラッシュ時は、まったく身動きがとれないほどの混雑です。

私が、新卒として初めて出社した日、挨拶で最初に言ったのは「満員電車に乗らずに

済む人生にしたい」ということでした。それほどに私は満員電車が嫌いでした。

そこで私は、まず空いている早朝の始発電車で、座って途中の駅まで行き、そこから会社までタクシーを使いました。片道二〇〇〇円程度で、帰りも利用したので往復約四〇〇〇円。もちろん自腹です。

経済的にはきわめて厳しかったのですが、それでも通勤時間に本を読んだりレポートを書いたり、通勤中にストレスをためないことでオフィスでの仕事に集中できるメリットを考えれば、けっしてもったいないとは思いませんでした。私にとっては、きわめてハイリターンな時間投資だったのです。

特急電車の三〇分より各駅停車の四五分

まだキャリアの浅いビジネスパーソンなど、そう簡単にタクシーには乗れないとしても、同じような発想は電車でも可能です。

たとえば始発駅から乗るなら、三〇分早めに家を出て何本か電車を待ち、確実に座るという手があります。混雑した車内と違ってホームなら、立っていても本や新聞が読め

ます。

特急や急行ではなく、あえて比較的空いている各駅停車に乗るのもいいでしょう。特急に乗ってすし詰め状態で立っているだけの三〇分は、何も生み出さない「消費」ですが、各停に乗り、何かをしながら過ごせる四五分は、資産を生み出す「投資」です。

タイムマネジメントにおいて重要なのは、時間を節約することではなく、時間密度を高めることなのだということが、ここからも分かると思います。

「三〇分の自分時差」が生む大きな付加価値

「三〇分早め」が有効なのは朝の通勤だけではありません。たとえば、前にも触れましたが、私は昼食の時間を一一時半からと決めています。

都心のランチタイムは、通勤電車に負けず劣らず、どの店も混雑するものです。特に一二時を回ったとたん、席に着くまで並ばされるし、料理が出てくるまでも待たされます。店内は騒がしいし、ほかに待っている人がいれば急かされる気分にもなります。店の人も、客をさばくのに手一杯で、当然サービスの質は落ちます。

これに対して、三〇分前に行けば、待たされることもないし、ゆっくり食べることもできます。店の人の対応も丁寧です。

ランチの時間をリフレッシュして気持ちよく過ごせるかどうかで、午後の仕事へのモチベーションが大きく違ってきます。私のように、人と会って話をするのが目的のランチであれば、なおさらです。

ほかにもジムに行く、飛行機にチェックインするなど、みんなが行動を始める三〇分前にアクションをおこす「自分時差」は、とても大きな付加価値をもたらしてくれます。

都心に住むという生き方

通勤のストレスをなくすには、たしかに三〇分早く出るのも、タクシーを使うのも有効です。しかし究極的になくすには、通勤自体をなくすという手があります。つまり会社の近くに住む。会社が都心にあるなら、都心に住むということです。

現在、私は都心にあるオフィスのすぐ近くに住んでいますが、このメリットははかりしれません。単に通勤がないだけではなく、いろいろな情報が入ってきやすいし、人に

誘われればすぐに出かけることもできます。それだけチャンスを得やすいということです。

もちろん、ライフスタイルは人それぞれです。会社からは遠くても、郊外の、より広いスペースが確保できるところに住むというのも、一つの選択です。しかし、仕事に付随する時間密度を高めるという一点だけに絞って考えれば、職住隣接が断然有利です。会食の機会なども利用して、アクティブに自己投資をしていきたい人にとって、都心の刺激はきわめて魅力的です。

会社員だったころ、通勤にタクシーを使ってももったいないと思わなかったとお話ししましたが、唯一反省するとしたら、それだけコストをかけるのだったら、もっと早くに都心に引っ越していればよかったということです。

もちろん賃貸にせよ持ち家にせよ、相場は郊外に比べれば高いですが、二倍もするわけではありません。せいぜい数十%といったところでしょう。それぐらいの投資なら、リターンのほうがはるかに大きくなると思います。

ただし、そのリターンも、職場の近くに住むことで生まれた時間資産を再投資して初

めて得られるものです。浮いた時間を、単に睡眠時間やお酒を飲む時間にあてたのでは、何の意味もありません。

どこに住むかということは人生の大きな選択であり、それによって仕事のスタイルも、得るものも、大きく変わってきます。都心に住むにせよ、郊外に住むにせよ、そのことに常に自覚的であってほしいと思います。

メイン・オフィスはバスルーム

人にはそれぞれ、時間密度の高い場所、高い時間帯があります。

私の場合、それは朝のバスルームであり、タクシーの中であり、近所のスターバックスです。会社員だった時代から、なぜか、オフィスのデスクでは、頭が冴えません。自分のオフィスを持つようになった今でも、重要なことを考えたいときには、スタバに足が向いてしまいます。

私にとってとりわけ時間密度が高いのは、朝のバスルームです。持ち込むものは、携帯電話、スケジュール帳、飲み物、それに本を五～一〇冊。バスタブのフタをテーブル

代わりに、頭をフル回転させます。バスルームこそ、私のメイン・オフィスと言ってもいいかもしれません。

放送作家の小山薫堂《くんどう》さんが脳科学者の茂木《もぎ》健一郎さんとの雑誌の対談で語ったところによれば、小山さんにとっても風呂は特別な場所で、アイディアに煮詰まると、風呂に入ってシャワーを浴びるのだそうです。この話を受けて茂木さんは、シャワーを浴びている間は外界から情報が遮断されているので、脳がクリエイティブに研ぎ澄まされるのではないかと答えています。

私の場合も、泳いでいると新しいアイディアが浮かびやすいのは、そのせいかもしれません。ただ、プールでは、アイディアが浮かんだ瞬間にメモを取れないのが、最大の難点ではあります。

SBIホールディングスCEOの北尾吉孝さんは、読書家としてもよく知られていますが、北尾さんが本を読むのは、もっぱら夜、自宅で、だそうです。一方私は、夜はすぐ眠くなってしまい、まったく本は読めません。

誰でも、こういう場所や時間はあるはずなので、そのような場所や時間を見つけて、

それぞれの「時間割」に組み込むことをおすすめします。生活のパターンとしてインプットされれば、習慣づけの効果でますます頭が活性化され、時間密度が高まってくるはずです。

エピローグ 人生という時間投資

すべては「ハワイに住む」ことからの俯瞰逆算

私の大学生のころからの人生の目標は「ハワイに住む」ことでした。今日の自分の生活はすべて、そこからの俯瞰逆算で成り立っていると言っても過言ではありません。

ハワイに住むとはいっても、現実から逃避するように日本とハワイを行ったり来たりするのはイヤ。現役をリタイアしてから移り住むのもイヤ。現地で職を見つけるのは難しいから、日本でビジネスの基盤を確立する必要がある。でもサラリーマンになってしまったら行くのは難しい。住むところも仕事も自分ですべてコントロールするには、起業するしかない。でも、自分には起業するためのスキルも資金もない。英語もできない……。

大学生だった当時、ハワイに住むことは、はるか彼方のゴールでした。しかし、未来と現在とのギャップが明確だったからこそ、自分に何が足りないのか、何をすべきなのかがよく見えてきました。

そこで私は卒業後、外資系企業に就職しました。外資だったら、若いうちから責任ある仕事を任せてくれるので早くスキルを身につけられるし、海外とのやりとりを通じて英語もマスターできると思ったからです。

そして三年間で五〇〇万円を貯め、アメリカのビジネススクールへ留学。MBAを取得しました。

物事にはうまくいくための原理原則がある

MBAを目指したのは、突き詰めれば私が面倒くさがり屋だからです。何度もお話ししてきたように、私は「コツコツ積み上げる」ことが苦手です。何をするときでも常に、「どこかに近道はないか」「要領よく終わらせる方法はないか」ということに頭が向きます。

実際、世の中には、うまくいくための原理原則が少なからず存在します。だったら最初にそれを学んだほうがいい。それを教えてくれるのがビジネススクールだと考えたのです。

もちろん、ビジネススクールで学ぶだけで、すべて確実にうまくいくわけではありません。しかし、ビジネススクールに行けば、マーケティングや経営について、体系立った原理原則を身につけることができます。また実際に、どういうやり方だと成功し、どういうやり方だと失敗したのかという先例も、豊富なケーススタディとして学べます。

それらを知っていれば、自分でビジネスを始めるとき、あらかじめいくつかのオプションを想定することができます。それを一つ一つ試していけばいいので、ゼロから闇雲に試行錯誤するのに比べて、はるかにゴールへの近道です。

もし、そういう知識を持たず、すべてを自分の経験から学んでいこうとすると、膨大な手間と時間とコストがかかるでしょう。

実際、ビジネススクールに行ったおかげで、その後の起業への道が大幅に短縮できたと思っています。MBAを取得したことは、私の人生においては、きわめて大きな時間

投資だったのです。

デキる先輩の営業に押しかけ同行

留学する前、三年間の会社員時代にも、得るものはたくさんありました。とりわけデキる先輩社員たちの仕事ぶりを直接目にすることができたのは、まさに会社勤めの特権でした。

三年間で私が担当していたのは営業です。当然、最初からそう簡単に成績が上がるはずがありません。

そこで考えたのが、先輩社員の中で、とんでもなく成果を上げている人のやり方をそのまま真似れば手っとり早い、ということです。そこで、自分と同じセクションかどうかに関係なく、「これは」と思う先輩がいれば、その人の営業に同行させてもらい、ノウハウをメモして自分なりにアレンジする、といったことをよくしていました。

同行するのが難しければ、ストレートに「どうやってるんですか」と聞く方法もあります。一人ではなく複数の人に聞くことで、うまくいくための王道のノウハウをピック

アップすることができますし、自分に合うやり方をアレンジすることもできます。

会社にいれば、真似すべき成功例は周囲にたくさんあります。いったん独立起業してしまうと、周囲に真似をする対象を見つけるのはなかなか難しくなります。

スポーツの世界でも、すぐれた選手の技術や練習法などをチェックして、真似たり盗んだりするのは、基本中の基本です。

よく言われることですが、そもそも「学ぶ」の語源は「真似る」にあります。よほどの天才でないかぎり、自分でゼロから始めるのと、すぐれた先輩のやり方を学んで、そこからスタートするのとでは、時間効率が圧倒的に違います。

真似するなら自分に似たタイプの人を

ところが、遠慮してしまうのか、プライドが邪魔するのか、会社勤めをしながら、この特権を生かしていない人が多い。実にもったいないことだと思います。

もちろん、相手の都合や意向を尊重しなければならないのは言うまでもありませんが、聞かれて悪い気がする人はめったにいません。成功している人というのは、概して自分

のノウハウを人に教えたいと思っているものです。また、人に教えるには、その人の中にある暗黙知的なノウハウが、ある程度体系立っている必要があります。その意味では、聞かれる側にとっても、自分の仕事を見直す機会となり、メリットがあることなのです。

基本的には遠慮せずにどんどん聞いてみればいいと思います。特に若い人なら、今のうちに聞けるだけ聞いておいたほうがいい。年齢が上がるほど、聞きにくくなるからです。

私自身もいろいろアドバイスを求められることがありますが、基本的にはすべて応じるようにしています。それは、今まで自分が多くの方に助けてもらったことの恩返しであり、自分にとっても楽しいことだからです。

ただし、人からアドバイスを受ける際に、自分と性格やスタイルがまったく違う人の話は、あまり参考にならないということは、気をつけておいたほうがいいと思います。

私の場合、真面目で勤勉なコツコツ型の成功者のノウハウは、それがどんなにすばらしいものであっても、絶対に真似できないのが分かっています。私にとって最も参考になるのは、サボり癖があって面倒くさがり屋だけれど、成功を収めた人の話です。

人に直接、話を聞く場合だけでなく、ビジネス書などを読む場合にも、そのことを念頭におけば、どのノウハウを採り入れたらいいのかの判断がスピードアップし、成果が上がるのも速くなります。

他人の時間を尊重する欧米人

アメリカに留学していたとき、ちょっと驚いたことがあります。

クラスメイトの一人に、親しいドイツ人がいました。ある日、私が教室に入ったら、彼は机に向かって一心不乱に本を読んでいる。私はちょうど彼に用事があったので、軽く声をかけました。

しかし、彼は返事をしない。聞こえなかったのかと思ってもう一度声をかけると、彼はジェスチャーで「今、忙しいから後にしてくれ」と示しました。

そのような場合、日本人だったら、たとえどんなに忙しくても返事ぐらいはするはずです。無言でそんな仕草をしたら「失礼なやつ」と思われるだけ。また、そもそも声をかけられて、「忙しいから後にしてくれ」などと言える人も少ないと思います。

小さな出来事ではありますが、自分の時間を守ろうとする彼の強い意志を感じて、私はちょっとしたカルチャーショックを覚えました。

彼にかぎらず、欧米の人は自分の時間をきわめて大事にするように思います。自分の時間を邪魔されることに、徹底的に拒否反応を示します。

元インテルCEOのアンディ・グローブも、

「社員に会社の備品を盗ませないのと同様に、同僚の時間を奪ってもなんとも思わないような社員をのさばらせてはいけない」

と述べています（『ユダヤ人成功者たちに秘かに伝わる魔法のコトバ』スティーブ・モリヤマ著／ソフトバンククリエイティブ）。

相手の時間を邪魔することに鈍感な日本人

自分の時間を守る意識の強い人は、相手の時間も尊重しようとします。逆に言えば、他人のペースに合わせてしまいがちな日本人は、相手の時間を邪魔することに対して、少し鈍感であるように思います。

たとえば、飲食ビジネスに関わるようになって分かったことですが、日本では、レストランを予約する電話を夜八時ぐらいにかけてくる人が多い。

レストラン側としては、もちろんサービス業なので、何時に電話がかかってこようがお客さんには丁寧に対応しなければなりません。それにしても、夜八時というのは、レストランにとって最も忙しい時間です。そこに電話をかけてくるのは、やはり相手を尊重した行為とは言えません。応対する側も、言葉や態度には出さないにしても、内心はいい印象を持たないでしょう。

レストラン側の事情も配慮して、まだ忙しくない夕方五時ごろに電話をすれば、相手も気持ちよく余裕を持って応対してくれるはずです。単に予約だけではなく、どんな料理にするか、どんなワインを出すかといった相談もできるでしょう。

電話をかける時間をちょっとずらすだけでも、得られる情報や人間関係の深さは大きく変わってきます。日頃からそういった配慮ができていれば、周囲の人の接し方も変わって、自分の時間も尊重してもらえるようになっていきます。

他人の時間を尊重することも、大事な時間投資と言えるのです。

もし「ルイ・ヴィトン」を知らなかったら

初めてルイ・ヴィトンのショップでバッグを買うとき、ルイ・ヴィトンがどういうブランドか、ある程度のイメージさえ持っていれば、ショップに行くのが初めてでも、値段とデザインを検討して、すぐ商品を選ぶことができます。

しかし、もしルイ・ヴィトンというブランドをまったく知らなかったら、まず店構えを見、値段を見て驚き、場合によっては他のブランドとも見比べて、やっと商品選びに入ることができます。バッグ一つ買うのに、膨大な時間と労力がかかるわけです。

同じことは、人間関係についても言えます。初めての人と会うとき、どちらも相手のことを知らなければ、自分がどういう人間かを説明するところから始めなければなりません。どういう仕事をしていて、どういう実績を持ち、何をしようとしているのか。それには、少なからず時間と労力がかかります。

限られた時間の中で会うわけですから、自己紹介だけで終わってしまうこともあるでしょう。二度めに会うチャンスがあればいいのですが、そうでなければ、せっかくビジネスでうまく協力し合える部分があっても、そこまでたどりつかないまま、チャンスが

埋もれてしまうことになります。

また、最初の出会いで互いの理解が不十分なまま、何かビジネスを共にすることになったら、仕事をしている間中、腹の探り合いが続いてしまうかもしれません。これも大きな時間のロスです。

このとき、自分が今までにやってきた仕事や、新聞・雑誌などで紹介されたときの記事をあらかじめファイルなどにまとめておいて、それを相手に渡せば、最初の自己紹介にかかる時間はぐっと短くなり、しかも口頭で伝えるよりもずっと密度の濃い情報を伝達することができます。そういったパーソナルファイルを前もって相手に送っておけば、会ってすぐ本題に入ることもできます。これらは言ってみれば、自分のブランドをつくっておく作業です。

時間投資の強力ツール「パーソナルブランディング」

そこで今、注目されているのが「パーソナルブランディング」という考え方です。

「パーソナルブランディング」とは、企業が自社の認知度や競合優位性を高めたりする

のと同じことを、個人レベルで行うことです。その核になるのは、新しさ・オリジナリティといった「差別化」、最高レベルの仕事をする「優位性」「信憑性」です。

パーソナルブランドは、具体的には、パーソナルファイルをつくるほか、本・メルマガ・ブログを書いたり、セミナーを開催したり、新聞・雑誌に寄稿するなどの情報発信を通じて築くことができます。

これらの活動によって「自分は誰か」「何をしているのか」「マーケットに対し、どんな価値を提供するのか」を伝えることができれば、ビジネスチャンスは格段に広がります。具体的には、収入がアップすること、こちらから売り込みをしなくても安定して顧客が集まってくること、有益な人脈を引き寄せること、などが期待できるのです。

詳しくは、私が翻訳した『パーソナルブランディング』（ピーター・モントヤ著／東洋経済新報社）をぜひお読みいただきたいのですが、パーソナルブランディングは、短い時間で最大の成果を上げる、時間投資の非常に強力なツールと言えます。

他人のせいにしているかぎり変われない

自分では努力しているつもりなのに、思ったとおりの成果が上がらないと、「結局、上司がバカだから」とか「会社の仕組みがダメだから」などと他人のせいにする人がいます。「時間がないからできない」も言い訳の常套句ですが、これも自分自身ではなく「時間」のせいにする考え方です。

しかし、こういう言い訳は「景気が悪いから会社の業績が上がらない」と言っているのと同じです。どんなに景気が悪いときでも、すばらしい業績を上げる会社はいくらでもあります。個人についても同様で、どんなにシビアな環境にあっても、成果を残す人はちゃんと残します。

「言い訳」は、単にみっともないだけではなく、何の解決にもつながりません。物事がうまくいかない原因を他人のせいにしているかぎり、自分を変える力はけっしてつきません。言い訳するのがクセになってしまうと、結局、状況だけがどんどん悪化し、ますます他者への恨みつらみが募ってくるという悪循環に陥ります。

たとえば部下に資料の作成を依頼して、それが締め切りどおりにできあがってこないと、当然ながら自分のスケジュールにも影響が出てきます。そんなとき、「お前のせい

でうまくいかない」と焦ってイライラする気持ちは分かります。

しかし、そこで部下を責めても、自分が失ってしまった時間を取り戻すことはできません。依頼する段階でもっと明確な指示を出しておくとか、締め切りの数日前から状況を尋ねるなど、自分の行動によってしか、自分の時間を守ることはできないのです。

株式投資のようなお金の投資と同じで、時間投資も成果が上がるか否かは、一〇〇％自己責任です。

「会社員だから自分の思うとおりにならない」「忙しいからしかたない」と思っているかぎり、すなわち時間に対してパッシブなかぎり、けっして効率的に時間を使えるようにはなりません。

重要なのは、自分の時間は自分でコントロールするという意識。時間に対してアクティブになって、「時間に追われずに成果を上げる生活」を実現してほしいと思います。

著者略歴

本田直之
ほんだなおゆき

レバレッジコンサルティング(株)代表取締役社長。
日米のベンチャー企業に資本・経営参加し、
少ない労力で多くの成果をあげるための
レバレッジマネジメントを指導。
日本ファイナンシャルアカデミー取締役、
コーポレートアドバイザーズアカウンティング取締役を兼務。
ハワイに拠点をかまえ、年の半分をハワイですごす。
著書にベストセラーとなった『レバレッジ・リーディング』、
訳書に『パーソナルブランディング』(ともに東洋経済新報社)がある。
サンダーバード国際経営大学院経営学修士(MBA)。
(社)日本ソムリエ協会認定ワインアドバイザー。
http://www.leverageconsulting.jp

幻冬舎新書 040

レバレッジ時間術

ノーリスク・ハイリターンの成功原則

二〇〇七年五月三十日　第一刷発行
二〇〇八年一月二十五日　第十四刷発行

著者　本田直之
発行者　見城徹
発行所　株式会社 幻冬舎
〒一五一-〇〇五一 東京都渋谷区千駄ヶ谷四-九-七
電話 〇三-五四一一-六二一一(編集)
〇三-五四一一-六二二二(営業)
振替 〇〇一二〇-八-七六七六四三
ブックデザイン 鈴木成一デザイン室
印刷・製本所 図書印刷株式会社

Printed in Japan ISBN978-4-344-98039-6 C0295
ほ-2-1

幻冬舎ホームページアドレス http://www.gentosha.co.jp/
＊この本に関するご意見・ご感想をメールでお寄せいただく場合は、comment@gentosha.co.jpまで。

久坂部羊
日本人の死に時
そんなに長生きしたいですか

あなたは何歳まで生きたいですか？　多くの人にとって長生きは苦しく、人の寿命は不公平だ。どうすれば満足な死を得られるか。数々の老人の死を看取ってきた現役医師による〝死に時〟の哲学。

小浜逸郎
死にたくないが、生きたい

死ぬまであと二十年。僕ら団塊の世代を早く「老人」と認めてくれ――「生涯現役」「アンチエイジング」など「老い」をめぐる時代の空気への違和感を吐露しつつ問う、枯れるように死んでいくための哲学。

橘　玲
マネーロンダリング入門
国際金融詐欺からテロ資金まで

マネーロンダリングとは、裏金やテロ資金を複数の金融機関を使って隠匿する行為をいう。カシオ詐欺事件、五菱会事件、ライブドア事件などの具体例を挙げ、初心者にマネロンの現場が体験できるように案内。

寺門琢己
男も知っておきたい　骨盤の話

健康な骨盤は周期的に開閉している。さまざまな体の不調は、「二つの骨盤」の開閉不全から始まっていた。ベストセラー『骨盤教室』の著者が骨盤と肩甲骨を通して体の不思議を読み解いた。